Anna Lukas

Gitter-Puzzle-Rätsel
2

GITTER-PUZZLE-RÄTSEL

Die unter der Rätselfigur sortiert aufgeführten Wörter sind an richtiger Stelle in die jeweilige Figur einzusetzen, so dass ein ausgefülltes Kreuzworträtsel entsteht.
Zur besseren Orientierung kennzeichnen Zahlen innerhalb der Rätselfigur die Buchstabenanzahl der Wörter (waagerecht bzw. senkrecht).
Zwei Buchstaben sind jeweils als Starthilfe vorgegeben.

© Anna Lukas
ISBN 978-3-95497-842-7
u.-d.-verlag, Potsdam, 2018

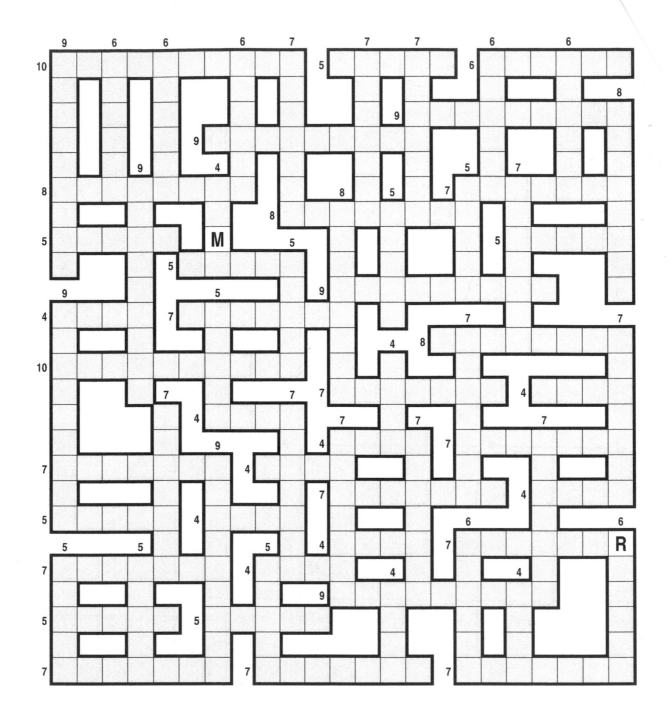

4   BASE, HERZ, HOHN, IMME, INKA, KICK, LUST, MOPS, NOAH, OBER, RAMA, SILO, TENN

5   AFRIK, APFEL, EICHE, ERKER, HONIG, HURRA, ITTEN, OPTIK, RAUCH, SETUP, STOCK, TEICH, TUKUR, YACHT

6   ABAKUS, ANTIKE, AVENUE, LUTHER, MAIDEN, MIKADO, PLUDRA, RASTEN

7   ABBITTE, ANSPORN, AZTEKIN, ESSECKE, ESSEXIT, FROTTEE, HELLING, INSASSE, KAPELAN, KIRSCHE, KOMMODE, LESSING, MADONNA, OFFERTE, PETITOR, PICASSO, POLITUR, RETORTE, SCHEIBE, SCHMUCK, SCHWEIN, ZUSTAND

8   ERGOSTAT, GUARACHA, IRRLEHRE, PARKHAUS, SERENADE

9   BERGWIESE, BUTTERFLY, EIGENNAME, EISSEGELN, GELDSUMME, LACKIERER, RAUMANZUG, STEILPASS

10   BALLABGABE, TATENDRANG

4   ALOE, AMBE, ANIS, ANNA, ECHO, ELEN, EROS, EXIL, IRRE, KAKI, SEIL, SIRE, SKIP, SOIR, TEIG

5   AMSEL, AREAL, BAUER, BEBEN, BEERE, GEIGE, GRECO, HINDI, REGAL, STEPP, ZEBRA

6   ALTUNG, AUSZUG, ELEGIE, GATTIN, ILBERG, NISCHE, SPARER, STEPPE, TAUSCH, ZEMENT

7   ALLHEIT, ALTHORN, APPLAUS, EDELGAS, ELEFANT, ESSLUST, GASWERK, GEHERIN, GEOLOGE, OBSTMUS, REINMAR, RENEGAT

8   ANRAINER, EPIGRAPH, GASTMAHL, HIMBEERE, KARRIERE, OHRFEIGE, ZEICHNEN

9   ABSOLUTES, AUEROCHSE, BARBAKANE, BLATTNASE, BRASSERIE, ERIANTHUS, HORTNERIN, NEONLAMPE, RATESPIEL, STRAMPLER, TAGEREISE

10   ENTWARNUNG, ESPADRILLE, LEDERWESTE

11   PFERDEAPFEL, TURTELTAUBE

4 GELD, GIRL, HEFE, HEFT, HUNT, IGEL, IJOB, REIZ, UDEL, ZYAN

5 ALARM, AMICA, HUSAR, IDEAL, KEGEL, KOPPE, LESEN, RITUS, SALAM, SINAI, TELEX

6 ABSATZ, AGAMIE, ALTARM, BEUTEL, ERDGAS, HOHEIT, KAFTAN, LASTER, NESSIE, NICHTE, POESIE, SOLIST, SPIKES

7 ARTIKEL, AUSWEIS, BERGBAU, LESEREI, POSAUNE, QUATSCH, RONDINO, SCHNAPS, STRAUCH

8 BRAUEREI, MATERIAL, RINGARZT, SCHRIPPE

9 AUSGLEICH, DESJATINE, HANDBESEN, KUBANERIN, LEITKEGEL, NATROLITH, PARALLELE, SCHARNIER, SPAGHETTI, STELLWAND, TEEBEUTEL

10 BEURTEILER, CHAMPIGNON, EINSIEDLER, KLAPPTISCH, RAUMKAPSEL, STRESEMANN

11 EINBUCHTUNG, REISELEITER

4   EDEN, EREN, FASS, GRAF, KALO, LOOK, MAKO, NOTA, RISS, ROSS, RUTE, SAGO

5   BASAR, FIBEL, FLYER, HALMA, HEINI, NANTE, REGEL, REMIS, RHEIN, SESAM, UKEMI, WERNI

6   ABRISS, AKTION, CLAQUE, CROTTA, FLACHS, HERING, IBYKOS, KOPEKE, LESUNG, PEKARI, STRIKE, WEISEL

7   AGRONOM, AUSLESE, CAROLIN, EHEFRAU, ELEMENT, FESTAKT, FINESSE, FUGETTE, LATERNE, LITANEI, PENDLER, SPIONIN, TAGETES, TOURNAI, TRAILER

8   BALDOWER, BERUFUNG, DISKETTE, EGOISMUS, EINREISE, KINDEREI, SIELMANN

9   BROTKRUME, DRAHTGLAS, ERSPARNIS, EURYKLEIA, FIRNEWEIN, LAUFFEUER, REALISTIN, SCHWINGER, TRAINERIN

10   KATHEDRALE, RAFFINESSE, RIESELFELD, SEISMOLOGE

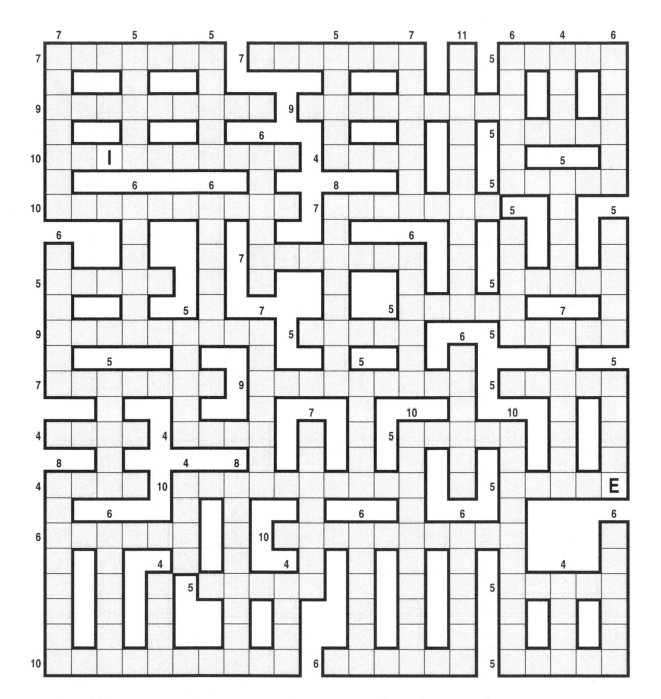

4 DORN, EDLE, EKEL, FUNK, LOHN, LUFT, NASE, PERI, SOFA

5 BLUME, ERSTE, FLUID, GENRE, GROTH, HYMNE, KAMEL, KREHL, MAQAM, MASSE, MESSE, NAIVE, ORGEL, OZEAN, PAPAT, QUEEN, ROTTA, RUNDE, SALAT, TALAR, TONNE, TRAKT, TRICK, WATTS

6 CHANCE, EREMIT, IMPULS, IRRTUM, LEVADE, MARONE, MELKER, NERUDA, PATINA, PHEKTA, POETIK, TECKEL, TINNEF, TUPFER

7 AUSFALL, AXOLOTL, IMKEREI, KRAWEEL, KURGAST, LARDNER, SANDHAI, SEGETIA, SMOKING, TOURNEE

8 FAIRNESS, SOLARIUM, TEEWURST

9 GENEALOGE, KRAFTWERK, KURZREISE, RESTSUMME

10 AUSTRALIER, BANDELWERK, EINLEITUNG, FENCHELTEE, NISTKASTEN, STARTRAMPE, TEILNEHMER

11 PHILATELIST

4   AKUT, ATEM, ESEL, ESSE, FACE, GARE, KOLM, LIST, MIST, OVAL, PARK, PART, RAIN, RUNE, TITI

5   AKTIE, ANGER, EIKON, EMMER, EVITA, EXTRA, GODET, HOTEL, ISOLA, MOTTE, RITZE, SALBE, SPREU, THREE

6   EHRUNG, EICHER, GERSTE, GOCKEL, HERBST, IMPORT, KIMONO, MAGATH, MANDEL, MARTIN, PESETA, RATGEB, TREPPE, TRISET

7   ABTRITT, DIAMANT, KERAMIK, LIBERTE, MITLEID, RASTRAL

8   ABONNENT, BIERDOSE, BURLESKE, EPIGRAMM, HALSBAND, MOTZEREI, PFUNDNER, POSTBOTE, SPEKTRUM

9   ALLEMANDE, KALTSTART, KARIKATUR, KASKADEUR, KATAMARAN, PERGAMENT, SPURWEITE, STABLAMPE, TREIBEREI

10   ABITURIENT, ARKESILAOS, BLUTORANGE

11   SCHLOSSEREI

4   AFFE, AMEN, DARG, FINK, IGLU, SINN, UTRO

5   ADIEU, ANGEL, ARENA, ARENT, BEZUG, DATUM, ELUAT, ERNTE, ETAGE, GUTER, LAUTE, LESER, MUCKE, REBUS, RIPPE, SALTO, STUHL, TIEFE, TOAST, TRITT, VATER

6   ABGANG, ADREMA, ARKADE, BREMER, BUDIKE, GRANAT, LAOTSE, SPAGAT, TRANCE

7   ABLEGER, ANSTALT, ARSENAL, AUSFUHR, AUSREDE, EDITION, EINBAND, FONTANE, KRAUTER, OVERALL, RENTNER, SCHLOSS, SLOWENE, TATZEIT, TRAKTAT, VIBRATO

8   LEHRGANG, REISFELD, SACHARIN, STERLING, TOLERANZ

9   ANGELRUTE, ARMSESSEL, EIGENHEIT, EISENBAHN, LIEDERJAN, OFFENSIVE, RIGOROSUM

10   BESCHERUNG, DONNERSTAG, EINSCHALER

11   AUSSTATTUNG

4   ABER, ANAS, DEON, LIRA, LUPE, LURE, MALL, ROST, SPUK, STAU

5   AMICO, BIENE, COURT, ETTER, FOKUS, GRAND, KETEL, KNUTH, KOMET, KREUZ, KULAN, MEISE, MENGE, SPURT, STROM

6   ABREDE, ANGLER, BALKON, BENIMM, BUMMEL, FREUDE, GEFAHR, GIPFEL, KOLLEG, MELONE, NIETER, SEKRET, STOKER, THERME, TRETER

7   ANGLIST, ASIATIN, BALLAST, KRICKET, PILOTIN, PROTEST, ROWLING, SEEMANN, TRAJEKT, WEICHEI

8   ANAKONDA, REALLOHN, SCHLUCHT, STANDING, TARANTEL, VEREHRER

9   ARMGELENK,EXAKTHEIT,RAFFINADE,ROSENTHAL,TAGESZEIT,TRAGWEITE, VERFASSER

10   ENTFERNUNG, KONTRAHENT, LETTERMANN, RICHTLINIE, RUTHERFORD

12   INSTALLATION

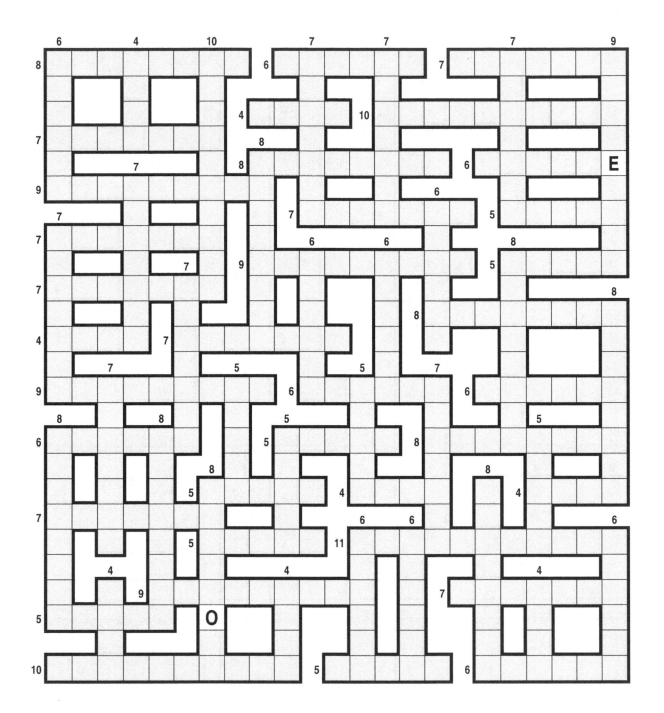

4   ACRE, BEAT, FORT, HORT, KANU, OLEG, OVID, UKKO

5   ABBAU, EAGLE, GRILL, HABEN, HALLE, HUMUS, LENNE, MEILE, NEUES, SCOTT, SKUNK

6   AKZENT, ATABEG, ELFTEL, FAGOTT, FLORIN, GESTUS, NUDIST, POLDER, PULVER, REISIG, SPENDE, TETNUT, TSETSE

7   ABZWEIG, ANEROID, AUFGELD, AUSGABE, AUSLAUF, BARONET, DEMENTI, HEUREKA, RAGIONE, REAUMUR, REVOLTE, SAMOWAR, SKRUPEL, STREUER, TISSAGE, ZUHAUSE

8   ANCHOVIS, BERTALDA, BLOCKADE, EIGENART, FABULIST, MAHAGONI, NOTEBOOK, RADKAPPE, SEKTGLAS, STURHEIT, TEEWAGEN

9   AFRIKANER, ENTREMETS, FERNSEHER, NOFRETETE, REGELFALL

10   OSTERLICHT, SENEFELDER, SICHERHEIT

11   PFERDEZUCHT

4 ABRI, EBBE, GOTT, KLAR, LEDE, PUMA, REAL, TANK, TEIL, TERZ, ULME, URNA

5 AMBRA, AMIGA, BOTIN, EMPOR, GALON, KABEL, KERBE, LEDER, LUIGI, PELLE, SLAWE, SNACK, TORTE

6 BATZEN, GELENK, ISOBAR, KNEIPE, PLUMPS, SIGNUM, THOMAS, WILLEN, ZIRKUS

7 AUSWAHL, BRENNEN, HAHNREI, KARPFEN, KOSINUS, MAKRONE, NESTBAU, ORPHEUS, PANDURO, RUHEPOL, SKISPUR, SPRAYER, TORRAUM, TRECKER, TREPPER, UNERNST

8 AMBITION, ANORTHIT, KOLUMBUS, REKTORAT, RESONANZ, SANKTION, SCHWAGER

9 EINWEISER, ENTDECKER, INTENTION, KAUKASIER, KREPELINE, PREISGABE, REISENDER, SPIELRAUM, SPINNEREI, ZINNFIGUR

10 KERZENBAUM, STECHKANNE

11 SPEISELOKAL

4   ARIE, GLAS, HAUT, LESE, NASH, PERL, SAMT, STEG, THOT, TOUR, VERS

5   ABEND, ACCON, DONAU, ECLAT, ELITE, ENTER, FARBE, FORST, FROST, HERDE, KETTE, LARVE, LAUDA, PARZE, PUNCH, PUSTE, RISPE, SALTA, STUNK, ZARIN

6   FAHRER, IBERER, MARKKA, RODENA, SKIZZE, UNIKAT

7   ABHILFE, GARNELE, HOSTESS, HUPEREI, INSERAT, LEKTION, LOOPING, NILGANS, ROTWEIN, SCHERBE, SCHLIPS

8   CLAQUEUR, EROTIKON, FOLKLORE, MASCHINE, NARRETEI, NILPFERD, REDEZEIT, REPORTER, STILLUNG

9   BERNARDON, ENKAUSTIK, ERKUNDUNG, EXPANSION, FLINTGLAS, LEHNSTUHL, POLSTERER, PRAHLEREI, REISELUST, ROHRSTOCK, TRINKGELD

10   FLIEHKRAFT, HEILQUELLE

11   TREIBMITTEL

4   ADEL, AURA, BLUT, DEUT, EPOS, ETUI, EURO, FIRN, IDEE, OBOE, OWEN, REIS, RIST, TAIL, TALG, TRUB, TUBA, URAN

5   ALTES, ANKER, BARTE, BEULE, BRAVO, EGOUT, LEIBL, PASCH, SPANN, STAMP, STOPP, TUDOR

6   GARAGE, GEBURT, MANGEL, RALLYE, STHENO, VENTIL

7   AUTOBUS, DELMARE, DOSSIER, GITARRE, GORDIAN, REINKEN, RESPEKT, ROULADE, SCHALOM, SKANDAL, STREBEN, TEMPLER, TIGERIN, TORNADO, WIRRNIS

8   AUTOKRAT, AVERSION, PROVIDER, SACHLAGE, SOUVENIR, TERMINUS

9   ANPASSUNG, ASTROLOGE, KILOGRAMM, MANOMETER, MEERKATZE, SAUERKOHL, STOCKENTE, TOASTBROT

10   SPEISEFETT

11   BAUCHFLOSSE, BRIEFKASTEN, INSPIRATION, OBERKELLNER

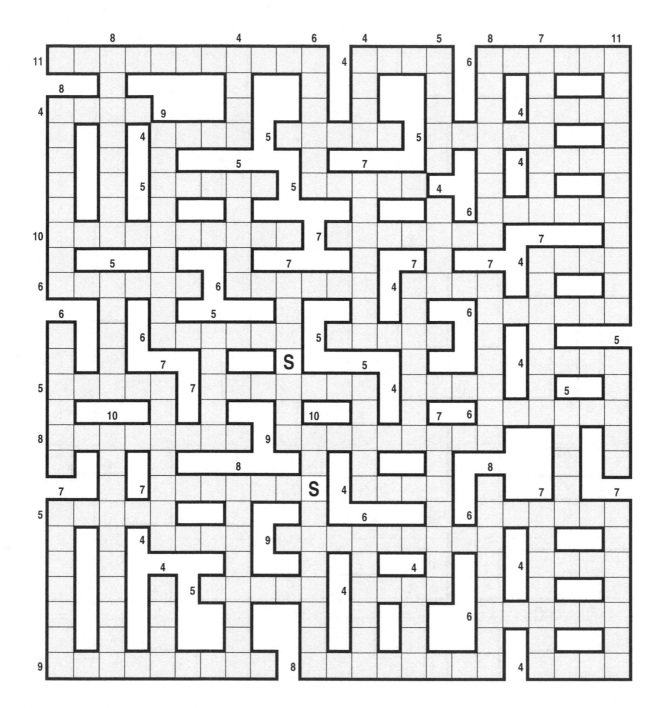

4   ARCO, AUGE, BEIN, BETE, BOOK, FLIC, HAHN, HERR, KODE, KORB, LAUS, LEHM, LIAS, MEER, SAFE, SENN, STAR, STIL, TEIN

5   BAKER, BREAK, INSEL, ISMUS, KOALA, KOBRA, KRAPP, LASSU, LAUBE, MALER, OMAMA, RENKE, STEAK, TITEL, TRANK

6   ABRAUM, BESTER, BOLERO, CHARME, EXKURS, FABRIK, HAMMER, KAMERA, PFLOCK, REIZEN, RELIKT, RITTER

7   ANKUNFT, ANSTURM, AUFGABE, BAUHAUS, BRUMMEN, ECHARPE, FRANKEL, LAUFRAD, MESSUNG, MIKROBE, NONSENS, RHAMNUS, RIBALTA, SCHALET

8   BAJADERE, ENDKAMPF, FALLOBST, KRAKAUER, SOLUTION, SUDANESE, TATKRAFT

9   BELVEDERE, DISSONANZ, FAHRSTUHL, GLATTNASE

10   DUNSTKREIS, LESBARKEIT, UNEBENHEIT

11   RENNSTRECKE, WASSERSTOFF

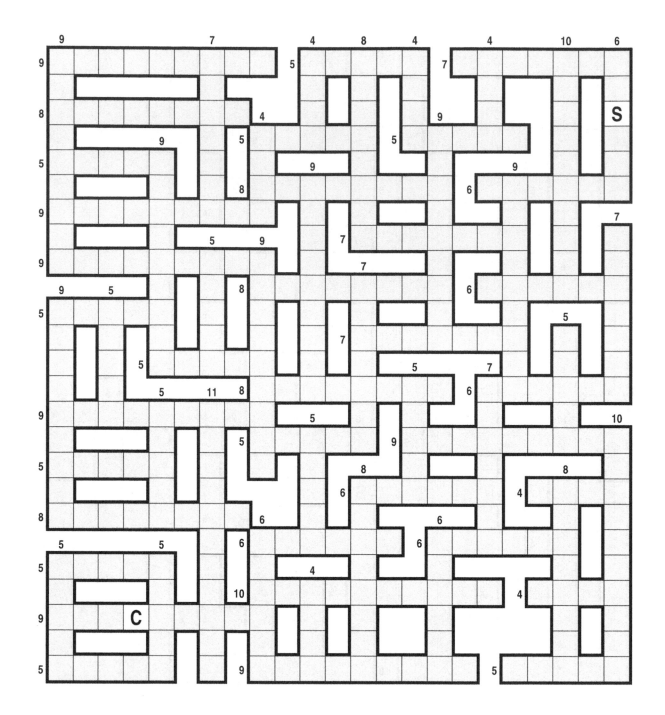

4   FETT, HECK, KATE, KRAN, POOL, TOGA, UDEN

5   ALTER, APOLL, BUBKA, CLERK, EBENE, EISEN, EPODE, ESCHE, INTRO, KARAT, KREIS, METER, STEIN, SUPRA, TACHO, TASSE, TROSS, ZECHE, ZUCHT

6   ADEBAR, BARACK, BUKETT, GENESE, KARREN, KRAGEN, MAURER, MISERE, USBEKE

7   AMATEUR, DIKTION, FURNIER, OPOSSUM, RITORNO, TAUENDE, THEORIE

8   AUSDAUER, ERNTEGUT, GETREUER, HAARSIEB, LAGERIST, OFENROHR, RADSTAND, THRILLER

9   CONCORDIA, EIERSTICH, ERBANLAGE, KATHARSIS, KLEOPATRA, KONGRUENZ, KORSELETT, PIRATERIE, ROSALINDE, SANDSTEIN, SONDERZUG, SONNABEND, SPARTERIE, STELLWERK

10   ENTWICKLER, REUSENMAUL, SPEISENDER

11   RITTERORDEN

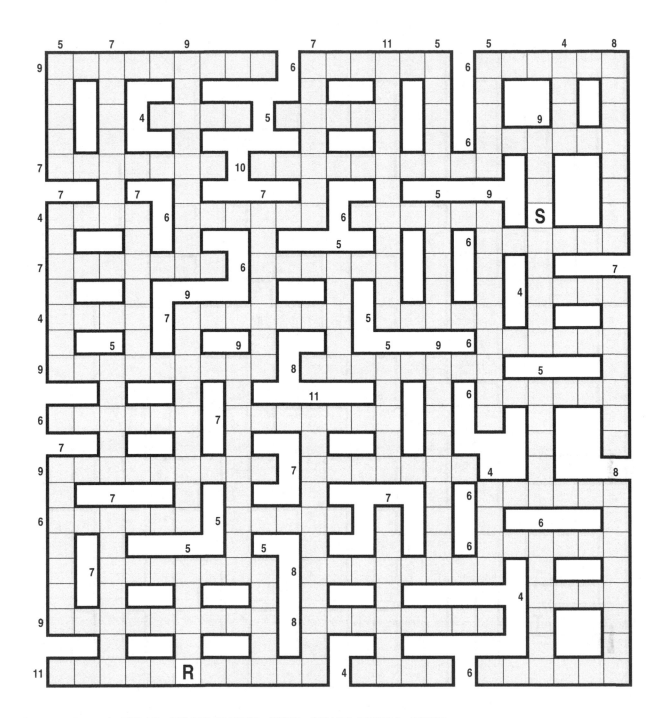

4 AULA, FEAR, KNIE, REUE, SIEB, SPAN, UNKA, ZIER

5 AROMA, CREME, DINAR, ELEMI, ERIKA, FRETT, GORKI, HEINE, LINDE, MULCH, NASHI, RADIO, TATZE

6 ABTEIL, ANGABE, ERSTER, ESELEI, FACKEL, FERKEL, FLAGGE, FURCHT, GOSPEL, HOFRAT, LEINEN, SALINE, SIERRA, TAPETE, TESTAT

7 ANLEIHE, BESTAND, EHERING, FAUNIST, FISCHER, GALENIK, ISLAMIT, KATHETE, LANDUNG, MUSKETE, OSTEREI, RICHARD, ROSETTE, TAKELER, ZUFLUSS

8 ELEONORE, GENESUNG, HOCHOFEN, LATEINER, LUTSCHER

9 BERATERIN, BOOTSMANN, FELBERICH, GRILLROST, KOMMENTAR, PRESSEAMT, SANDGRUBE, TAKTSTOCK, TEILNAHME, TERTIANER

10 FEINARBEIT

11 ENTOMOLOGIN, INTEGRATION, KOHLROULADE

4   AHOI, BAKE, BLUE, ELAN, FLUT, HERA, INCH, KAHN, LEDA, NOIR, OPAL, REEP, UNZE

5   ABRUF, ADORF, BETON, BLOND, DRAKE, EDIKT, ESSAI, EXOTE, HAACK, HOWTO, IBACH, KORAN, LUNTE, PIETA, RASUR, TOLLE, TRAFO

6   ALTERN, ARBEIT, GELEGE, GEWAFF, GRATIA, KREDIT, SLAWIN

7   BARACKE, CATCHER, CHAPLIN, ECKBALL, EINWURF, KANAPEE, KLAFTER, KLASSIK, KOMIKER, PUNCHER, RABATTE, RECHNER, REINEKE, ROMANIK, SANDLER, TITANIC

8   ANLIEGER, AUSKLANG, EOLIENNE, KRAWATTE, TOILETTE, WOHLSEIN

9   ABHOLERIN, EINTEILER, FALLIMENT, NUNTIATUR, REGENWURM, SAHELZONE, SCHAFFNER, TIEFLADER

10   BREMBERGER, GIACOMETTI, KNICKEBEIN, SEGELECHSE

4 AIAS, CAPE, ELFE, ENGE, LEIM, OLAH, OLIV, PARI, RING, SAAT, SAKE, SAME, SOLO, TIRO, UNKE

5 AKTEI, ARTAL, COLOR, HABIT, HEMME, KHAKI, KRAFT, PANNE, PFORR, PHASE, UNRAT, WANST

6 GERADE, GRAUEN, HESSIN, HORTEN, KOCHER, NUCKEL, PARSEC, SENKER, SESTER, SIRENE, SIRIUS, TANKEN, TERMIN

7 ASKETIN, BEDACHT, DISTANZ, MALERIN, PEGASUS, RECHNEN, SCHICHT, SLIPPEN, TATARIN, TIROLER, VORREDE, ZWINGER

8 DROMEDAR, EINBLICK, FESTIGER, LANDGRAF, LENZMOND, MESNEREI, NUKLEASE, SCHNURRE, UNWETTER

9 FORSTHAUS, GLEICHNIS, LAMINARIA, REFLEXION, SAKRARIUM, STROHHALM

10 FLACHDRUCK, TAXIFAHRER

11 ACETATSEIDE, SQUAREDANCE

12 STEUERZAHLER

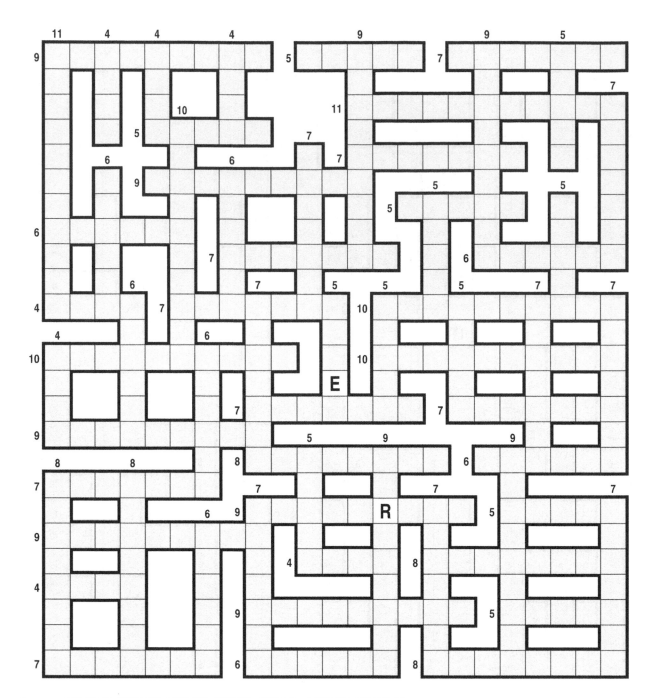

4   DUNG, ERVE, INUK, RIES, SEAL, VENE, WOLF

5   ACKER, BANTU, DEFOE, ESSEN, FRANC, HAUBE, HORUS, IDYLL, KRUME, MOTOR, PFEIL, ZITAT

6   ARTIST, ASPEKT, ESKOLA, GARTEN, GETTER, KRITIK, NENNER, RANGER, TYRANN

7   AUFRISS, ENTGELT, EUGLENA, GEDICHT, GRUBBER, HADDOCK, HOCHRAD, MEDIKUS, MISSION, MRDANGA, NIRWANA, POLEMIK, STROPHE, TERYLEN, URTRIEB, WERBUNG

8   ERHOLUNG, FORSCHER, GAMSBART, PALISADE, SENNERIN

9   ADRESSANT, BEIZVOGEL, EMANATION, FLACHDACH, FLORISTIN, GENREBILD, LICHTJAHR, MUTTERTAG, NOMINATIV, SEZESSION

10   HOCHSCHULE, STERNKUNDE, UMFRIEDUNG, WELTREKORD

11   ANSCHAFFUNG, BREITENGRAD

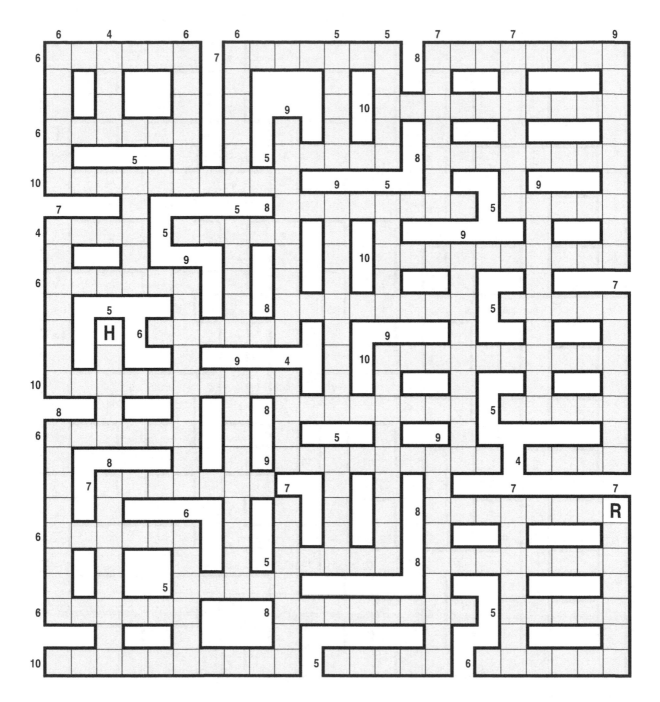

4 ENAK, GRAM, JAHN, NAHL

5 ALIBI, ASTRA, AUTOR, BILAC, DOCHT, EDGAR, GUTES, HAFER, HUMOR, INPUT, INUIT, LIMIT, NABOB, OSMIA, PATIN, ROMAN

6 EINZUG, GELEIT, JAUCHE, KAKTEE, KARTEI, KERKER, KLECKS, REBELL, SAURUS, SCHELM, SCHLUP, UNDANK

7 ANPROBE, APPIANI, BAULAND, GEFOLGE, GRUNDEL, KARDONE, REDDING, TARTANE, TERRAIN

8 ABSORBER, AQUARIUM, ASSESSOR, DRAINAGE, HEUPFERD, KATASTER, KAUTABAK, ODYSSEUS, SCHAUDER, TRIBUNAT

9 ABSCHLUSS, BESTREBEN, FADENWURM, KLAGELIED, LEIERMANN, OPERNGLAS, SARABANDE, SARKASMUS, SIEDLERIN, TELEMETER

10 BELLEFLEUR, GURTMUFFEL, KOKOSPALME, LUFTREIFEN, MIESEPETER, REFORMATOR

4 ATOM, ATZE, DING, KINO, LIED, NONO, NOTE, PASS, STOA, TEST, TIPP, TURN, UNIT

5 AFFIX, COUPE, DELLE, EINEM, GRUBE, HANSA, IDUNA, ITALA, LAICH, NOTAT, OHSER, RIESE, ROTOR, SEDUM, TANTE, TONEI, WOLLE

6 HEKTIK, HINGIS, KNICKS, KRACKE, NEWTON, TRALOW

7 ANDROID, ANRATEN, BASTION, BLAMAGE, ERGEHEN, GESTANK, GOLIATH, HENLEIN, INHABER, KARAOKE, MANASSE, OBERARM, PASSAGE, SCOOTER, SKONTRO, STAROST

8 EINTRITT, EXPERTIN, MAGISTER, ROBINSON, STADTGAS, WITZBOLD

9 ANSCHRIFT, BLASMUSIK, ERDENRUND, FLENNEREI, HARFENETT, KELLNERIN, NEKTARINE, RICHTBLEI, SCHUBLADE, WOHNWAGEN

10 ANGELHAKEN, DEPRESSION, SPANNLAKEN

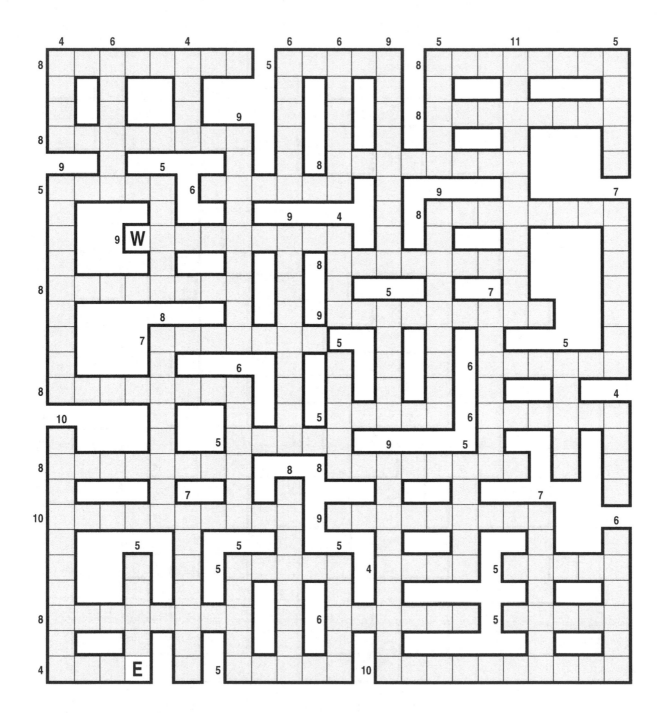

4   LAIB, NAPF, NUBA, ROBE, SPUR, TRAN

5   ASTER, ATLAS, ESPER, FOLIO, KUGEL, LATTE, LIMES, MERLE, NEIGE, PFALZ, RUDER, SHIRT, STIER, STORE, TRAGE, ULVIT, ZIVIL, ZUTAT

6   ANUBIS, GRISON, LAKTON, LEGION, PAGODE, PLANKE, RAYSKI, TEKTUR, TELLER

7   ABTRIFT, AMPULLE, GALEERE, LIMONIT, RAGTIME

8   ARONSTAB, ATTRIBUT, DESIGNER, KELTEREI, KONTRAST, LORTZING, NUSSBAUM, OBERTEIL, SETZEREI, TIERHEIM, TORFMULL, TORLINIE, ZEITLAUF, ZIMMERER

9   ANWEISUNG, BOULEVARD, DISPENSER, GIRANDOLA, MARSSEGEL, MARZEMINO, SLAPSTICK, SOLFEGGIO, WARTESAAL

10   ESSIGGURKE, LAUFGITTER, RABENVATER

11   TAFELSILBER

4   AMON, ARZT, BANN, DUMP, EPIK, LORD, MINE, MOPP, NENA, ODEM, PAGE, PORE, RAND, TEAM, TUBE, VERB

5   AMMER, ARKUS, DUMAS, ELTER, FITOU, GRAMM, GRUND, GUPPY, RAIMU, SEIDE, STORM, TUNTE

6   ABLAUF, ABSENZ, ACTION, ERTRAG, EXAMEN, FORMER, KOFFER, KRUSTE, REDOVA, STAPEL, ZIBEBE

7   ANRUFER, AUFTAKT, BASSIST, BLATTEN, BULGARE, EISBERG, EISKREM, ENKLAVE, KUBANER, PLEJADE, PRAHLER, RUHETAG, SACHMET, TREFFEN, VANDALE, ZEUGNIS

8   AKZIDENZ, ANLIEGEN, DIVISION, EIDOTTER, FILAMENT, GELDADEL, GERIATER, KARNEVAL, NOTARIAT

9   BUSCHWERK, ITALIENER, MOBILFUNK, RENTNERIN, TAXAMETER

10   ANREISETAG, KNOPFKRAUT

12   PAPPENHEIMER

4 AAKE, AUTO, EGGE, ESTE, HERO, HEXE, IHLE, IOTA, KITT, KOKS, LAST, RENN, TEFF

5 ALOIS, EGART, FIXUM, GREIF, HENRY, IMKER, LIEBE, LUNCH, NEESE, PRINT, STING, SURTR, TROTT, TUBUS, UNFUG, WAALS, XERES, ZWIST

6 ALTBAU, BILANZ, DJANNA, EIKLAR, ENTREE, ESZETT, NEILUS, RAPIER, RUFTON, TRIOLA, TRUMPF

7 ABFRAGE, ANSPIEL, ATEMZUG, AUSRITT, EINFALL, FALLADA, GREISIN, KAROTTE, LACHTER, NEUZEIT, SAMSTAG, SHUFFLE, TABELLE, VERSUCH

8 BAJUWARE, EILBRIEF, ENTNAHME, FELDBETT, RATGEBER, REZNICEK, SOUFFLEE

9 CHARAKTER, EISENZEIT, GERMANIST, SCHABLONE, SCHULFACH, SEMIRAMIS, TIERREICH

10 ENTBEHRUNG

11 PERLENKETTE, THRONFOLGER

4 AKTE, ALAT, ARNI, BAUM, HEIA, KERN, MAYA, NIKE, OGER, PIKE, PLUS, RAPS, RAST, REBE, STAB, TOKO, TOPF, TROG, YARD

5 ABTEI, ALIEN, ENKEL, FAUST, GEIST, GREIS, LINKE, LORKE, OCKER, PUTTO, RATTE, STAMM, TRAUM, TYFON, ULMER

6 ANHIEB, BASTET, BEIRAT, DICKER, KENNER, KONTER, MANEGE, PLOMBE, SENIOR

7 ABSCHEU, ANEMONE, BEIMANN, GHANAER, KONZERT, MANAGUA, MEMOIRE, MORITAT, OKTOGON, OMELETT, PUPILLE, RATERIN, ROHLING, ROTBLAU, SLEVOGT, TRAINER, UNSTERN, VORWORT

8 MESSEAMT, MUTPROBE, TELETEXT

9 AUSKOMMEN, FESTESSEN, GRAUKAPPE, MARTENSIT, MNEMOSYNE, TRIEBWERK

10 DRAUFSICHT, SCHUFTEREI, SUPERMARKT

12 AMORTISATION

4   AVAL, GONG, KAIN, KAMP, ONZE, RAAP, TARA

5   ALWIN, BASIC, DAKER, DRALL, FLEUR, HEROS, KAKAO, KATER, LAGER, MAMBA, MASKE, REIKI, RIMET, STUFE, TATAR, UNMUT, XENON

6   BISTER, DIKTAT, GANOVE, HIPPIE, ISEBEL, ONOSMA, PATHOS, RELIEF, RINGER, SENECA, ZEUGIN

7   ABLESER, PLATANE, RENVERS, SOUFFLE, TELEFON, VERBAND, VISCHER

8   EDELDAME, INDUKTOR, KALEVALA, TELESKOP, TESTLAUF, UMSCHLAG

9   AUSSCHUSS, BARSCHECK, BEETHOVEN, BUFOTOXIN, FEUERWEHR, GYMNASTIK, HERZBLATT, HOFKAMMER, MODERATOR, NOTORIOUS, NUSSTORTE, SKATRUNDE, TEERPAPPE, VERLOBTER, WEINGEIST

10   ANGEBETETE, DOPPELPASS, STROGANOFF, ZWEIACHSER

11   TAUCHSIEDER

4   ABEL, EULE, FRAU, KIES, MAST, MUND, NEED, OLLE, PFAD, PUDU, USUS

5   BOLUS, EITEL, LECKE, MODUS, NADIR, NAMEN, ORBIT, PONTE, STOLA, TIGER

6   ARAGON, BEUGER, BIZEPS, DIEBIN, EIGELB, MORGEN, NASSER, PANSEN, PLEITE, PORTEN, REPLIK, SEEBAD, URLAUB, WILLIS

7   BALLADE, BETREFF, KULISSE, OFFSIDE, PFLAUME, REUNION, SATTLER, SCHROTT, TATFORM, UNKRAUT, VERMERK

8   BELIEBEN, EHEGATTE, ESTRAGON, EXEMPLAR, HUFEISEN, KAUFHAUS, KOHOUTEK, MARKGRAF, OMELETTE, PEDIMENT, ROHEISEN, SPANKORB, STUNTMAN, TAKELAGE

9   BACKSTUBE, BEMERKUNG, EHRENLOGE, EXHAUSTOR, GENERIKUM, REZEPTION, SCHWESTER, STALAKTIT

11   STEUERWESEN

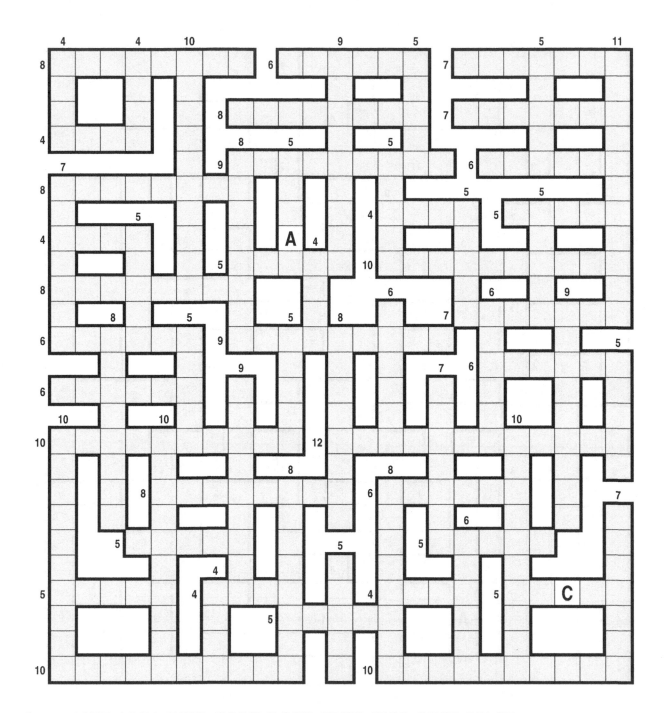

4   ALTE, AREA, BIER, COOK, DOCK, EMSE, IDOL, LECK, MAGD

5   AARON, ALLEE, ARCUS, BLATT, ENZYM, HACKE, HONIG, HURRA, IRAKI, KRESS, LEHRE, LYRIK, MANNA, MITIC, RANKE, REGAL, SENNA, SIRUP

6   ABAKUS, ANREDE, BANNER, BRILLE, IRONIE, NUANCE, POISON, UNSINN, WAMPUM

7   ERHARDT, GRISCHA, MAXIMUM, PILSNER, SPONSOR, USBEKIN

8   ABSENDER, AUSSEHEN, BILDBAND, CHARMEUR, EMIGRANT, GIRLANDE, LEITSATZ, MAHLZEIT, OBSTSAFT, SEEKARTE

9   ERHELLUNG, FAUSTKEIL, MERKHILFE, SINGVOGEL, STROHSACK

10   DETEKTIVIN, DIREKTHEIT, EIDGENOSSE, EINSPARUNG, ERSATZBANK, KLEINWAGEN, PROJEKTION, SAUERKRAUT

11   MITTELALTER

12   SHETLANDPONY

4   AKME, AMME, CHEF, JECK, MANN, MINI, MOST, ONUS, RIFF, SMOG, STAG, TAND

5   ASKET, CLERC, COBOL, COMIC, DOLDE, ECKER, FLORA, GESTE, IMMEL, INSTE, IVENS, KASCH, KOMIK, MAGOT, MIMIN, PENNI, PROFI, RATER, REISE, ROLLI, STEPP, STOCK, TROMP, UNTER

6   ANKARA, BOKERT, EDITOR, ERHALT, HELLER, KUPALA, LIBUSA, ROGGEN, SCHUTT, STORNI

7   ADLIGER, AKROBAT, ANTENNE, BEAMTER, EINTRAG, GOBELET, LESEREI, PARTITE, RENEGAT, RETORTE, ROTDORN, STEPPER, TOCHTER

8   EMPATHIE, GASTMAHL, KATHOLIK, PERLHUHN

9   BLATTNASE, BUXTEHUDE, DORABELLA, DRAHTKORB, FALKNEREI, HAUPTMANN, HEMMSCHUH, KUHGLOCKE, MIDINETTE, RATESPIEL

10   BLUMENTOPF, LANGEWEILE

4 ALOE, BOSS, EROS, FACH, GRAF, HEFT, HORN, IOLE, KERB, LIEN, LOGO, NERV, PLOT, SIRE

5 ALARM, ANRUF, ARMUT, ASIEN, BAUDE, BOXEN, BRETT, EFFET, EWALD, KNULP, LEIER, LOTTI, NGWEE, NISSE, NUDEL, PROSA, RODEL, SENAT, SPEIK, VALET

6 ALTARM, ANTIKE, KANTON, KLAPPE, MISPEL, PESADE, SEGELN, SIGURD

7 ABSPIEL, ALTHORN, BARDAME, COLLEGA, ELLIPSE, EUSEBIE, FESTAKT, GARDINE, KIRSCHE, KNATSCH, MOORBAD, OBSTMUS, OFFERTE, OKTAGON, RICHTEN, SCHEIBE

8 DARLEHEN, LEBEMANN, LIBERTAS, LIEBSTER, PACKERIN, SATZBALL

9 ABFINDUNG, DESCARTES, KAUFHALLE, SCHUBFACH, SPIELBEIN, WEITSICHT

10 ANASTASIOS, EINZELFALL

12 LEBENSMITTEL

4   BALG, BORN, ECHO, ELEA, GAZE, GOGH, HEIM, HUND, KICK, LAUB, LIGA, OBER, REST, RHEA, RITT, ROSS, SOFA

5   ARSEN, ELIOT, HAUER, LASKA, MITRA, MONTS, MUMIE, NAHUR, NEFFE, ORANG, TAUFE, TRACK, UNITA, VESTE

6   ABPUTZ, BLASER, STATUS

7   APOKOPE, CASTING, EISBAHN, ENDLAUF, EXPERTE, GASWERK, GERMANE, KOHORTE, KOMPOST, LEHMBAU, MELDUNG, MODERNE, REHKITZ, SANDHAI, SEEUFER, STICKER, STUDIUM, TAUWERK, UNISONO

8   EMINESCU, HAUSTIER, REISEREI, REISWEIN, SERENADE

9   EREMITAGE, GERMANIUM, NOTDIENST, POLARHUND, RANGIERER, SCHONKOST, SONNENTAU

10   DEPUTATION, EHEBERATER, PAZIFISMUS, RENNFAHRER, TELEFONIST

4   ADER, AIDE, AMID, AZUR, BORD, EHRE, ERLE, IBAN, KURS, LIST, MAMI, SILK, ZEUG

5   DINER, ELAST, ERSTE, ESSIG, FALKE, FEIER, FLAPS, GREEN, KREBS, LOGOS, NACHT, NAGEL, SCHAF, SEITE, STADT, STERN, TALAR, UMZUG

6   ABHANG, AIRBUS, AUCUBA, BISSEN, EMSIUM, FLIEGE, GIGANT, REGUNG, SIGNET

7   ARTIKEL, AUTORIN, FIKTION, KOMPASS, MATROSE, RUSSELL, SATUREI, SEQUENZ, TRAUUNG

8   ARGUMENT, ERMESSEN, GROMAIRE, LIDSTIFT, LOCHBAND, LOTTERIE, SOMALIER, STADTTOR, ZWILLING

9   DIEBESGUT, FERNREISE

10   DENKZETTEL, KLEINKRIEG, KUNDGEBUNG, LONGSELLER, MAUERFUCHS, RANDLEISTE, SONDERFALL, SPIELPLATZ

11   GUTTAPERCHA, RADIERGUMMI, SKILEHRERIN

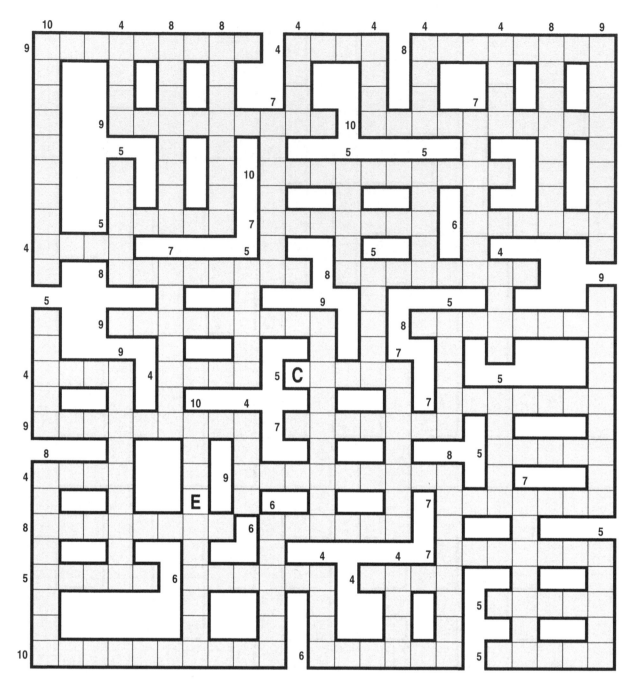

4   CAMP, EARL, EFEU, ESAU, FASS, FRON, FUGE, GARE, IMME, NAAB, PANI, PINT, SOIR, TIER, UFER

5   ASIAT, BETEN, BONZE, CAPEK, EGILL, ERBIN, ESTIN, KOPIE, MEMME, OCHSE, PIMPF, REGEL, TAROT, TRUPP, UNITE

6   DRAGEE, LABSAL, RAKETE, SCHABE, STEUER

7   ABONDIO, BORUSSE, ENERGIE, KAPELLE, KNAUTIE, SPECIAL, STEIGER, STRIPPE, TONBAND, TRIGGER

8   EINNAHME, FASZIKEL, FREILAND, GEFLECHT, LUFTPOST, PARTISAN, SOLISTIN, STREUSEL, STREUUNG, TEUCRIUM

9   AUSPUTZER, AUTOATLAS, NEUTRALER, PREISLAGE, REISEZIEL, STARTLOCH, STEILPASS, TECHNIKER, UNTERHEMD

10   AHNENPROBE, ATTRAKTION, AUGENBLICK, BEINARBEIT, TACHOMETER

4 ACHT, BREI, DAUS, DODO, EILE, EXIL, IMID, LURE, MIST, NAME, OLAV, OLPE, OTTO

5 BREHM, DREWS, EMMER, ERPEL, KASSE, KLANG, LISZT, MENGE, PFLUG, PULKA, RAUCH, RODEO, RUMOR, SPECK

6 ADAGIO, BEDARF, BELCHE, ENTERN, FORMAT, GISELA, GUINEE, HEIRAT, KREMPE, SCHALE, SCHERE, SCHULE, SPINNE, STIGMA, TANREK, UHLAND

7 APOLLON, BANGNIS, DROHUNG, EDELGAS, FREITAG, GEDUDEL, MAHNUNG, MANDANT, NORDPOL, SEEGANG, TRAJEKT, VORFAHR

8 BAUKUNST, ERDBODEN, ERHALTER, GELIEBTE, KOHINOOR, LAUBBAUM, LUKULLUS, SZENERIE

9 BRENNEREI, KARGADEUR, MELKEIMER, ROHRFEDER, ROLLLADEN, WERKHALLE

10 BISAMRATTE

11 DRILLBOHRER, TOMATENMARK

12 KNOBELSDORFF

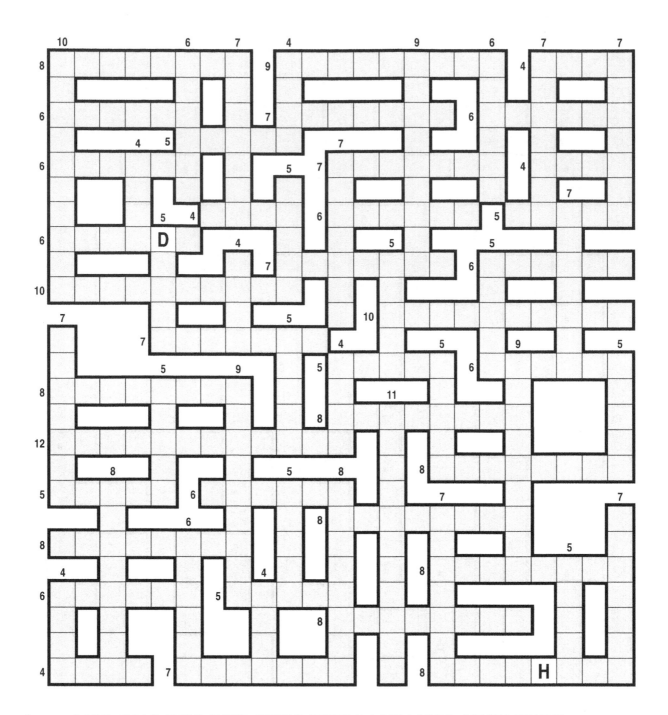

4   AALL, DIAS, DISC, ESSE, HUGO, KITZ, LADY, MOOR, NEON, WABE

5   ABGAS, AMATI, ARMIN, BATIK, DRAIS, DURRA, FLUCH, FORUM, GALLE, IDIOM, KELCH, MESSE, MILCH, TAXUS, URBAR

6   ABBASI, ABGANG, ANLASS, ESPRIT, FAGOTT, GLASER, KAPTUR, MADAME, MERGEL, NICHTE, NOBODY, TUPFER

7   ALLIANZ, BEHEBER, CHIRURG, COLLIER, KALINKA, KURHEIM, SCHLUSS, SCHRIFT, TAUCHEN, TRAILER, VIOLINE, VITRINE, ZUSANEK

8   ANSEGELN, AUFFAHRT, EGOISMUS, INGEMANN, LEHRGELD, LESESAAL, NERVATUR, RAUMFLUG, SCHEFFEL, SEKTGLAS, ZEICHNER

9   GRABBELEI, SANDTORTE, STEILUFER, WESENSZUG

10   BESTSELLER, ERKENNTNIS, SCHLAGLOCH

11   SPEERWERFER

12   ENTHUSIASMUS

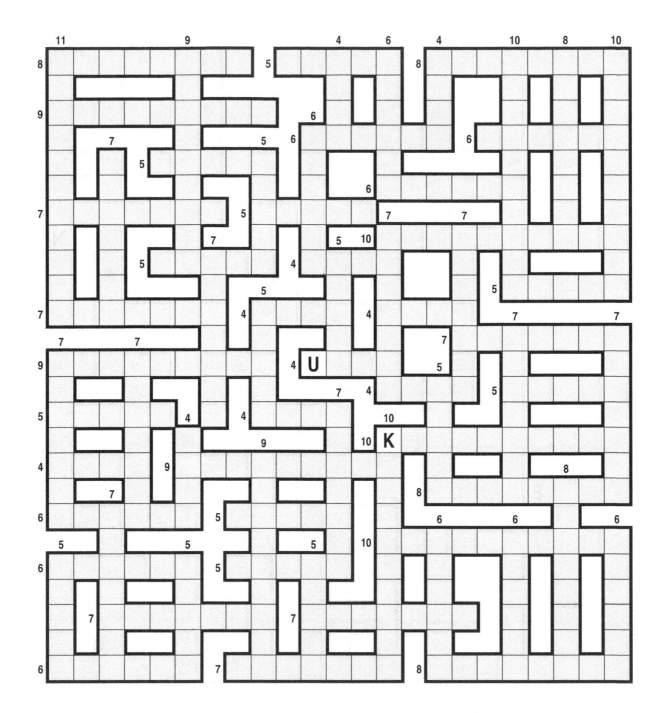

4   AHLE, HABE, KITA, LEDE, OASE, SMET, TUPF, ULME, USUR, ZONE

5   ALESI, BIBEL, BOONE, DENAR, GRASS, IDEAL, ISPAN, LIMAN, MOTTO, NUGAT, RUNDE, SPREU, STUBE, TRAKT, TRITT, ZIEST

6   GARANT, KINSKI, LIZENZ, MELONE, MOVENS, MYSTIK, NATRON, SEMMEL, TAROCK, TATAMI, TUNIKA

7   ANSORGE, ANWESEN, CHASSIS, EINBAND, ERLEBEN, ESSECKE, FINESSE, GASHAHN, KIRRUNG, MADERNA, ODYSSEE, OMNIBUS, PENDLER, RANKETT, RAPHAEL, SAUHATZ

8   ELISETTA, ELLBOGEN, OPERETTE, REFERENZ, SIELMANN, TELEPHON

9   ANGSTHASE, GEHEIMNIS, KEIMZELLE, MARSSONDE, SEROTONIN

10   EINZELHEIT, KEILKISSEN, KOMMISSION, KONZERTINA, RADIZIEREN, REGENRINNE

11   ETABLIERUNG

4   AMEN, ERIC, ESRA, FALZ, FLIP, FLUG, GIPS, GIRL, KULI, LABE, LOHE, MOPS, NEST, ORCA, RAIN, RISS, RUNE, RUSH, TELL

5   EGGEN, EXTRA, LAWRA, LOTSE, MARKT, MERCI, ORGEL, PAPAT, SCOTT

6   BALLON, DOMINO, IMPULS, KITTEL, MUSKEL, PORTER, TSETSE

7   ABHILFE, ANTRITT, APPLAUS, AQUAVIT, AUSWAHL, AXOLOTL, BOBTAIL, DEKURIE, DESSERT, EBSTEIN, ESSLUST, LUTETIA, MAKRONE, MOKETTE, PANAZEE, SPIONIN, TRETRAD, VANILLE

8   ALTSTADT, ELENTIER, FELSWAND, KLAPROTH, KROKODIL, MASTKORB, PARKZEIT, SCHILLER, SPRENGER, ZAUBERER

9   PALMLILIE, PUFFOTTER

10   BUTTERDOSE, KINEMATHEK, LICHTNELKE, LUSTIGKEIT, STAHLBETON, TATENDRANG

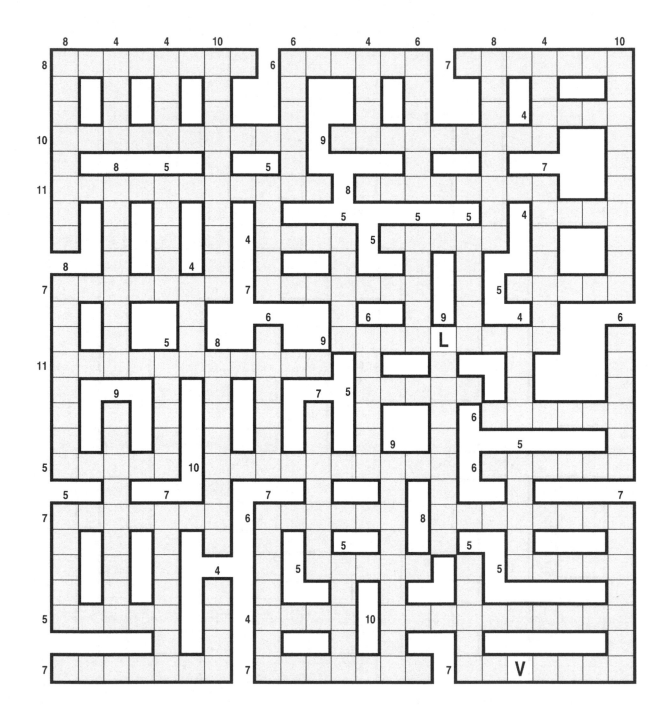

4   ADEL, AGIO, EREC, HASE, MARC, MIME, NOTA, ODAL, PUMA, RINN, ZELT

5   AEROS, ANGER, ANZUG, ASLAK, ECHSE, EDLER, EICHE, ESROM, ETAGE, FARBE, FRIES, LEERE, NAIVE, NAKIB, PUNKT, STROM, UROPA

6   BEMBEL, DAKAPO, DUNLOP, FLOTOW, GEHEUL, LAWINE, ORWELL, SPATEN, TRAUTE

7   APPETIT, AUTOMAT, BAUWERK, EINKAUF, FONTANE, KLAMMER, MATETEE, REVOLTE, SCHLOSS, SENKUNG, SIMARRE, THERMIK

8   BERGMANN, BIERHEFE, BOCKBIER, LEHRLING, NACHWEIS, SENKBLEI, SINGULAR, SOLARIUM

9   LIEFERANT, MODEFARBE, RUNDBOGEN, SPINNAKER, STABLAMPE

10   BEWUNDERER, FILMKRITIK, GOALGETTER, KUCHENMEHL, RECHTSLAGE

11   GURKENSALAT, INSELGRUPPE

4   ABER, AMBE, DARC, DORF, FOUL, HAIR, KODE, MEER, PEAK, PILS, SAUM, STAU, UDEL

5   ARENA, BOTEL, DIANA, EIFER, ELUAT, ESTEN, FROST, HECKE, HENDL, LAINA, MALER, MASSE, METRO, MILAN, SALAT, STALL

6   AVENUE, POMADE, RASTER, RIGAER, ROLLER, STATUR

7   AGRONOM, ANDREWS, BALANCE, ELEMENT, EMPIRIE, FILIALE, FORELLE, KLAMPFE, MESSIER, NOVELLE, RANKING, REALIST, REFRAIN, SCHIRAS

8   AUSSCHAU, DEMOKRAT, FABRIKAT, FESTMAHL, HATTRICK, NIKOLAUS, OMLADINA, POSTFACH, SPIELUHR, TURMALIN

9   BERNSTEIN, EIERFARBE, ENTSETZEN, ERDHUMMEL, KASSIERER, MARSCHALL, RATENKAUF, VERDIENST, WAHRSAGER

10   SCHOMBURGK, SPEISESAAL

11   WOCHENMARKT

4   DUIT, ESEL, FETT, FLUR, INFO, LOVE, SPAT

5   AREAL, BAKER, BOARD, DOSIS, KROKI, LADER, LISTE, NARDE, PINTE, RATEN, REDEN, ROBBE, TIMUR, TWEED, ZEBRA

6   ADLIGE, BALZAC, MEDUSA, TEURES

7   ANTIDOT, ANTIOPE, BARABER, BEGONIE, BERATER, BROILER, EDITION, EINBAUM, GEBILDE, GESTALT, LIGATUR, MONTEUR, NESTBAU, PATIENT, RONDELL, SAMOWAR, TORDALK, VORSATZ

8   ARROGANZ, ENDSPURT, GASPEDAL, HABSUCHT, OLEARIUS, PERSONAL, PLESSNER, TABLETTE

9   ALLEMANDE, BORDSTEIN, DACHSTUBE, ERBANLAGE, ERDFERKEL, HAGESTOLZ, HOLZESSIG, HORTNERIN, KRUMMHALS, NACHSPIEL, REGELFALL, SPIELDOSE, UNTERLAGE

10   PUSTEBLUME

11   AUGENDECKEL

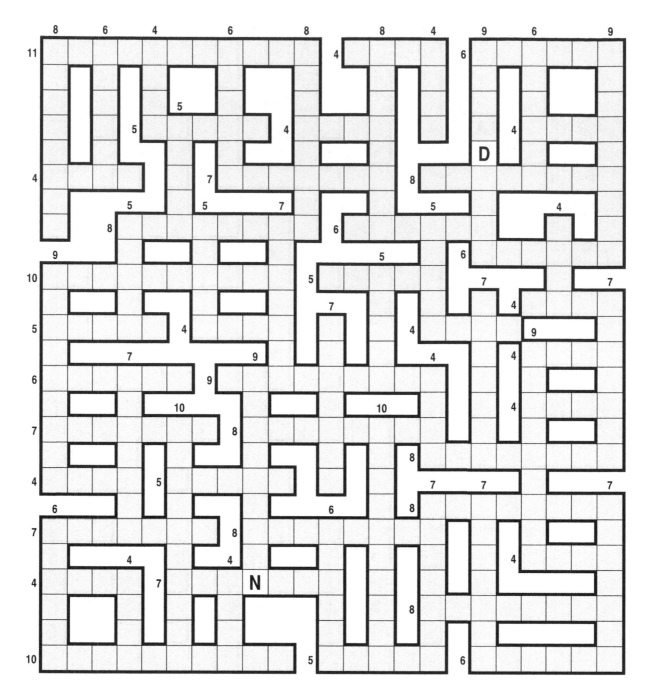

4   ABRI, BETT, BODY, CIAO, EGEL, ELCH, ELOI, ENDE, ENTE, LESE, POSE, RENZ, TUCH, TURM, WIRT, YSOP, ZOLL, ZWET

5   ERKER, ETTER, FEILE, KERZE, MERET, MOLLE, RENKE, SALBE, TASSE, UREAT

6   ANIMUS, EREMIT, EXPORT, FLACHS, GELENK, KELLER, LEGUAN, OBACHT, RUBENS, SAFARI

7   ANFRAGE, ANTHESE, FURNIER, KANTALA, MANKELL, ROLLETT, ROWLING, SCHEIDE, SCHERBE, SONNTAG, THERESE, TRANCHE

8   ADRESSAT, APRIKOSE, AUSDAUER, EICHHASE, EISTORTE, FORMULAR, REZEPTUR, ROSEWEIN, SONNYBOY, TEEKANNE

9   ESPLANADE, IMPORTEUR, KIENAPFEL, SOFTDRINK, STEINMETZ, TREIBERIN

10   EISENSTEIN, KAPITULANT, RENDEZVOUS, SERPENTINE

11   SPORTANGLER

4   ANIS, ATEM, CAST, CUZA, EKEL, GABE, HOSE, IRIS, KAKA, NEFF, NOAH, PIEK

5   ABEND, ESCHE, FRETT, LEDER, MODEM, NANDU, NEBEL, RAPPE, WENDE, XENIA

6   COUPON, DESIGN, ERDGAS, GRANAT, MARONE, NISCHE, PANKOW, SIEGER, STRIKE, TAUSCH

7   ASSAPAN, BALLETT, BEDUINE, BETRIEB, DEPONIE, EHERING, GARNELE, HOSTESS, LATERNE, LITSCHI, MINIVAN, NILGANS, PFENNIG, RATHAUS, REALGAR, ROTWEIN, SCHALOM, SCHRITT, STREBEN, TELEFAX, TOURNEE, TURMBAU, UHRGLAS

8   BATTERIE, ERDREICH, KRITIKER, SECHSECK, STEINWEG

9   ABHOLERIN, EHRENGAST, GLATTNASE, GREYHOUND, LEITLINIE, STELLWAND

10   AUSDEHNUNG, BOLOGNESER, TISCHLAMPE

11   KASANTZAKIS

4   BILD, EMIR, ERBE, ETUI, FORT, GANS, GOTT, KANU, LAKE, LIKI, LUST, MAUS, MURR, POLO, REEP, TAKT, UBAC

5   AGENT, AROMA, DRUCK, EISEN, FREUD, NELLA, PAPAS, POLIS, RINNE, SPATZ, SPIEL, SUMPF, TATZE, TUKUR, ZIEGE

6   BEFUND, DIKTUM, DUKTUS, GEDULD, GOCKEL, KOPPEL, KYKLOP, LEIMEN, LYSIPP, MENTOR, NERUDA, PAPIER, POSEUR, SIRENE, URTIER

7   ABHOLER, MANILLE, MATRONE, MIKANIE, MONTAGE, NARZEIN, PFARRER, REKLAME, SPEZIES

8   EINBLICK, EINFLUSS, ETIKETTE, MONSIEUR, STRAFTAT, TATKRAFT, TINKTION

9   APPLIKANT, BAROMETER, BRUCKMANN, FRANKATUR, PRAHLHANS, SPARKONTO, SPRAYDOSE, WIDERHALL, ZAUNLATTE

10   BINNENZOLL, FLUGLEHRER, TORTELETTE, ZUBEREITER

4 AKIS, CENT, ESPE, HARZ, KATE, KAUF, KRAN, OMAR, PIER, RITZ, SAFE, SAFT, SAMT, TEIN, TENN, ZAHL

5 ADEPT, ALTAR, ELOGE, GABEL, HECHT, HORUS, KUPON, PITCH, RITUS, SEKTE, STEIN, TIEFE

6 ABITUR, AGAMIE, ANFANG, CHURCH, MARAIS, MAURER, METEOR, STANZE, TANKEN

7 ABDRIFT, AUSLESE, EMBARGO, INNERES, KLAUSEL, KURTAXE, LESSING, LUMIERE, MIKROBE, MORNELL, PHANTOM, REGATTA, RESTANZ, SCHMACH, THULIUM

8 BURLESKE, GABELUNG, GARANTIN, GRIMBART, HAARSIEB, HELFERIN, HOLZLEIM, NEGLIGEE, TELEMARK

9 BROCKHAUS, EIGENHEIT, GARDEROBE, HASENMAUL, LACKIERER, NATURPARK, RAUMFAHRT, RUHMSUCHT

10 ATEMSPENDE, BERBLINGER, GENEALOGIE, KREUZPOLKA

4 ALPE, ANNA, CHOR, ERVE, GELD, MAAT, MAMA, MATT, MAXI, NAHT, SINN, SKIP, SOUL, TIDE

5 DEUCE, FRAGE, GATTE, GUTES, HALMA, SITTE, TRECK

6 BERYLL, CROTTA, ESELEI, HIRSCH, LIMONE, SCHIWA, SPAGAT, SUDOKU, TREPPE

7 ABBRUCH, ABSTAND, AUSWEIS, COUVERT, KREUZER, MISSION, MUSKETE, ORPHEUS, REBOUND, REIFUNG, SYMPTOM, TOPSTAR

8 ALTERUNG, ANAKONDA, BUMERANG, DESTILLE, DISKETTE, EBENHOLZ, ECHNATON, EINWAAGE, KONSERVE, LOHRINDE, NARRETEI, SCHNEIDE, SEEHAFEN, TASTSINN, TRETAUTO, VORHABEN, WORKSONG

9 BINNENSEE, KASEMATTE, SAHELZONE

10 AKTIENKURS, AMENDEMENT, KANTHARIDE, TANKSTELLE

11 WUNDERKNABE

12 ABFAHRTSLAUF

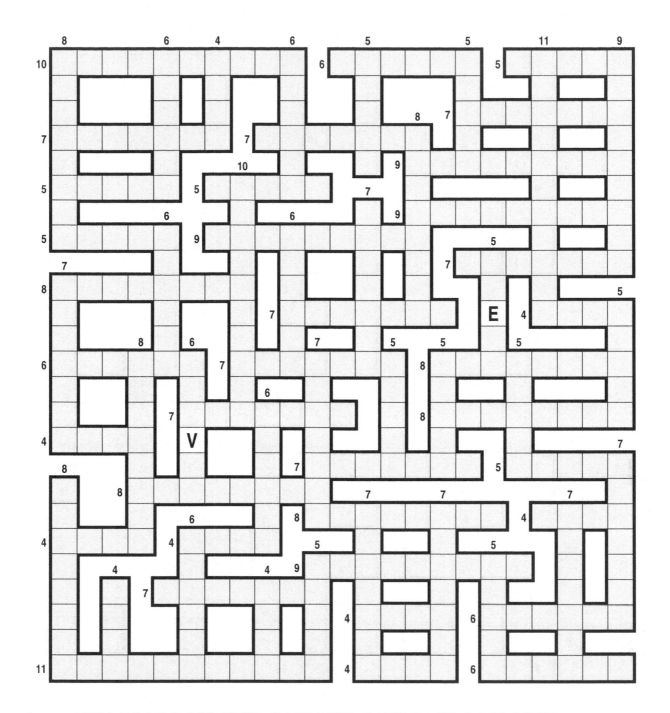

4 AHOI, BOOT, DOSE, ELER, GAST, IGEL, LAUT, RAGE, ROST, RUTE

5 EDIKT, ELFER, ESSAY, ESSER, HUMUS, LENNE, PIETA, PUPPE, RANCH, ROGEN, SANIF, SATTE, TAIGA, TROPF

6 ARBEIT, ATABEG, BOILER, FLAGGE, FREUDE, GENESE, GRAVIS, KALERI, NEWTON, PARADE, TONART

7 ANNAHME, BISKUIT, ETIKETT, EUNUCHE, GEHILFE, INHABER, KOMBINE, LAMBADA, OBSTTAG, SEEMANN, SKIPPER, SPITZER, SPRAYER, TOASTER, VIBRATO, WENFALL

8 ANSCHEIN, ANSPRUCH, BETTLADE, EIGENTUM, FORMEREI, PAARLAUF, PFUNDNER, SCHWULST, SIEGERIN

9 KAUKASIER, NORMATIVE, PROTZEREI, RUHEPAUSE, TORTELIER

10 ALAUNSTEIN, STOPPLICHT

11 DEPUTIERTER, INTEGRATION

3   CAR, SEE

4   ATOM, DEPP, EDEN, GOLF, HOOD, ILAT, INKA, IRON, JAHN, JAMS, KRIS, KRUG, LADE, NASH, NOEM, RIST, WEEK

5   BAUEN, BESTE, ELLIE, ILSAN, INTRO, KRUME, LAUTE, LUNTE, MEISE, OKTAN, RENTE, TAUER

6   ELEGIE, ELFTEL, FETZEN, LIESCH, PLANCK, ROTTON, SESTER, URZEIT

7   ABSTIEG, BELISAR, GINGHAM, KONDUKT, LESKIEN, NANNINI, NEUNTEL, OPOSSUM, UNERNST, URTRIEB

8   BALESTRA, DIENSTAG, EIERKORB, EUSTACHI, KRAWATTE, OBERTEIL, ROMANINO, TERMINUS

9   AMMONITER, BAUERNHOF, BROTKRUME, FERNSEHEN, HAUSANZUG, LONGDRINK, MANNEQUIN, MISCHPULT, PRESSLUFT, PRIMERATE, TOPOMETER, TRAINERIN

10   HANDTASCHE, SANATORIUM, WASCHSALON, ZERTIFIKAT

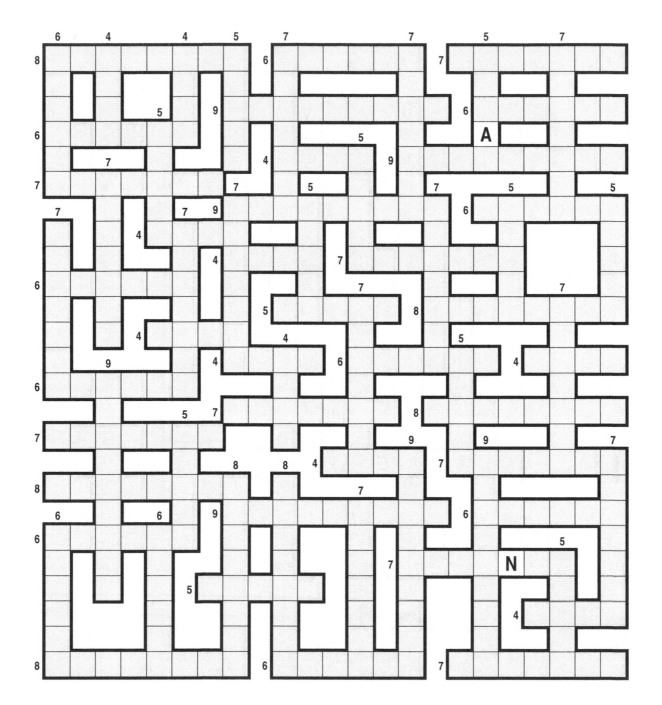

4   ELAN, ELLE, FLOR, INUK, KAMM, MUTA, RATE, SAGO, SPUR, THAI, UKAS

5   AZERI, DELLE, DRESS, EPODE, KOPPA, MAKRO, NOLDE, RABAU, RASUR, ROLLO, SILUR, UNRAT

6   BASTEI, BEWEIS, EICHER, ERTRAG, ESKIMO, GEWIRR, KAMMER, KOPEKE, RATGEB, RITTER, SENSUS, SPENDE, TRIBUN

7   ANBRUCH, ANDROID, ARSENIK, ARTERIE, ATHENER, BILLETT, BOXRING, DIKTION, ENKLAVE, GALEERE, GATTUNG, KELLNER, LATINUM, LEKTION, PRAHLER, PUNCHER, REGLEUR, SLIPPEN, SUBJEKT, VERLUST

8   ANOMALIE, BALDOWER, ERFINDER, ERKUNDER, MATHILDE, SPEKTRUM, SPERLING

9   ABTEILUNG, KARIKATUR, KELLNERIN, PSEUDONYM, RUNDFAHRT, TIERLEBEN, WERKTITEL

4   ECKE, KORB, LENZ, SAAL, TEXT

5   ASTER, AXIOM, BOTIN, ENTER, IRADE, KLOTZ, LOTOS, MIETE, PASTE, PFAHL, ROTTA, SESAM, SPANT, STIRN, THEIN, TRIEB, TROLL

6   ANORAK, EIEREI, MOMENT, ROBBER, UZEREI, ZYKLOP

7   BEISEIN, DOSSIER, EISLAUF, ELEFANT, GRUBBER, HUPEREI, LORELEI, NASOBEM, ROHKOST, SCHWANK, SLOWENE, TATARIN, TRENNEN, ZUKUNFT

8   AMBITION, EHRENTAG, EXPERTIN, LIBRETTO

9   ALTENBERG, ARMSESSEL, BAHNSTEIG, BESINNUNG, EINSCHLAG, EISENBART, HUSTENTEE, INHABERIN, KONDOLENZ, PUDERDOSE, TERRARIUM, TRAUMBILD

10   GOLDBARREN, HOCHZEITER, KASSEROLLE, LAUFGITTER, REFERENDUM, SEITENHIEB

11   TANNENNADEL

4   ALAT, ARZT, ATUM, DECK, EPIK, GLAS, GOLL, HIOB, KINN, KLIC, LAIE, LUPE, RAHM, TANK, TUTU, WARE

5   BRAVO, ETZEL, GEBET, HALLO, HEINE, HYMNE, KORAN, LESEN, MUNCH, NEUES, ORKUS, TINTE, TRAMP, WAAGE

6   ANTRAG, ARKADE, BINKEL, EINZUG, EMPORE, ERSTER, HEREIN, KAPSEL, LABUNG, LORIOT, REIZEN, TRALOW

7   AMPHORE, AUFTRAG, BARONET, BOYKOTT, BURMESE, DANAKIL, DEMENTI, EINFALL, ENTGELT, GREINDL, KRIECHE, LAUFRAD, MAMBILA, RAILWAY, SCHOLLE, SCHWIRL

8   ERDMIETE, ERDRINDE, GAILLARD, KEILHOSE, NOTNAGEL, RINGOFEN, STURHEIT, TEEBLATT, TIERWELT

9   APOSTROPH, EISSEGELN, INTERVALL, LEINWEBER

10   TAGESKARTE

11   ANGESTELLTE, TRANSPORTER

4 BRAK, BUDE, EICH, ENNS, EREN, FUNK, GANG, IRRE, ITEM, KITT, MILE, NIKE, RABE, SAAT, TUBE, URAN, UVIT, WEIB

5 BORKE, EBENE, EIKON, GRIFF, HABEN, LETZT, MATCH, NEWAR, NOTIZ, SORGE, STIER, WEISE, ZWEIG

6 ADAMOV, ALTUNG, HORTEN, MENSCH, SALOMO, TANKER, TESTAT, TYBBKE

7 AMPULLE, ANSTALT, AUGMENT, BREUNIG, FREYTAG, GINSENG, GREISIN, MONOKEL, NOTBETT, OPTIMUM, TORRAUM

8 ARKTIKER, CATERING, FAHRGAST, INVENTAR, INVENTUR, REKTORAT, RUMKUGEL

9 ASTROLOGE, FEUERWEHR, FEUERZEUG, GASTGEBER, KASCHNITZ, LEBENSWEG, NEKTARINE, POLARENTE, SCHULDNER, TELEMETER, VETERANIN, VORSCHULE

10 FEINARBEIT

11 FARMERSFRAU, REGENANLAGE

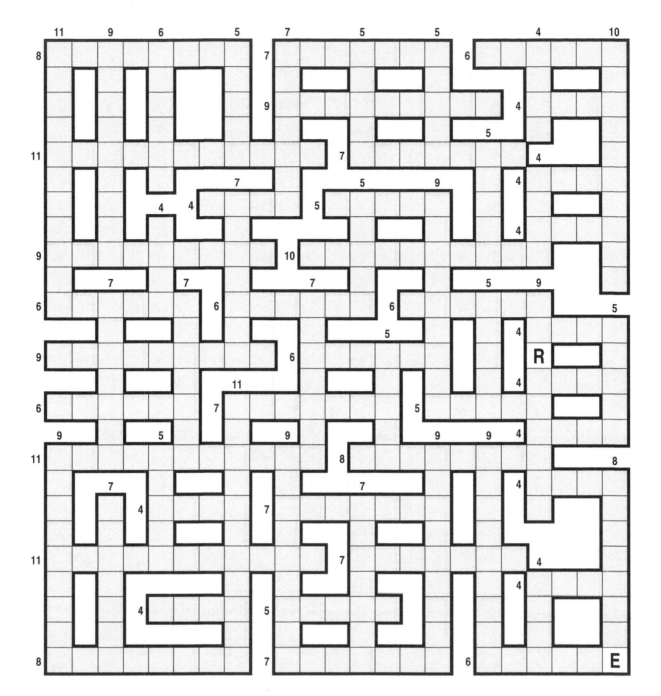

4   ELFE, GELB, GOYA, IHLE, JAGD, KING, ORAL, OVID, REIS, SEIL, SEKT, TARA, THOT, TRAN, TUBA

5   AFFIX, DONAU, GROLL, GRUND, LIEGE, LISSE, NICKI, NUTEN, RAUPE, SAGAN, SUPRA, TOLLE

6   ANSAGE, DRACHE, KANDIS, OSIRIS, RODENA, SETTER, STATIV, TARZAN

7   ABAISSE, ALKMENE, ANRATEN, AUSGABE, AUSLAUF, DANAIDE, EISKREM, KLAVIER, MEINUNG, MITLEID, NATRIUM, NEULING, TELEFON

8   ALBATROS, AUFGEBOT, ENTNAHME, HAFENAMT

9   BEZAHLUNG, BOULEVARD, DRAHTESEL, GYMNASIUM, STAUBTUCH, TAGEREISE, TIEDEMANN, TROTZKOPF, VORREITER, WANDTAFEL

10   JOURNALIST, RADIOLOGIE

11   ABGESANDTER, BESENBINDER, SCHLAFWAGEN, SPEISEKARTE, TRAUBENSAFT

4   BASS, ENGE, MODE, NABB, PAPA, REEF, SAME, SHOW, WERK

5   BASSE, COUNT, FLECK, GRANT, HEIDI, KHMER, KICKS, LITER, LORKE, LUNCH, MURKS, PFEIL, POPOW, PUDER, RITZE, SALTA, SCHAR, SENSE, SLAWE, STORM, TAFEL, USANZ

6   APPELL, SCHERZ, SENNER

7   ABBITTE, AEROBIC, ANLEIHE, DICKENS, GRANATE, HAMSTER, REGRESS, RESOPAL, TWOSTEP

8   ELOQUENZ, EOLIENNE, GRASSODE, KATALYSE, KLAMOTTE, LEBEWOHL, LESEBUCH, PINZETTE, PULSZAHL, SARAZENE, SULTANAT, TOILETTE, TORFMULL

9   PASSAGIER, SCHENKUNG, WAHLLOKAL

10   AUSSCHLUSS, EGOZENTRIK, EIDGENOSSE, KAROSSERIE, KLARINETTE, LAGERFEUER, MIESEPETER, SCHLAPPHUT, TRETKURBEL

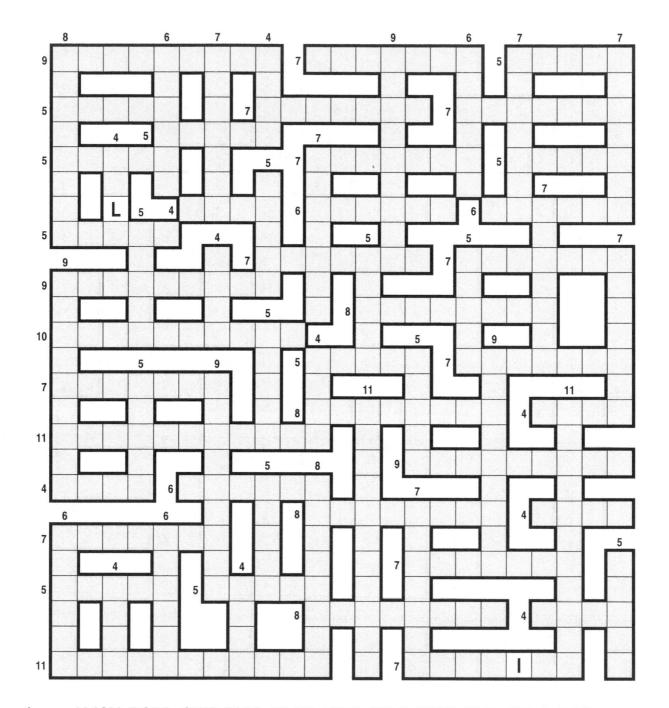

4   AMON, BORR, CHIP, FALL, FRAU, IGLU, STAG, STAR, TAIL, TOLA, ZIVI

5   ANMUT, ASKET, BETER, BLUES, BOXER, DRECK, EGART, ETHOS, HAFER, HUSAR, LAKEN, NEITH, OPAPA, RERET, RISPE, SEHER, SHENG, TELEX

6   ALINEA, ATKINS, BARSCH, BRECHT, GEHIRN, KURORT, ZEPTER

7   ARMATUR, AUSFALL, BERGBAU, BRAILLE, DRESSUR, KAPITEL, KNALLER, KRACHEN, LANDUNG, NEGLIGE, OFFSIDE, PEGASUS, PENSION, PERGOLA, PISTILL, RATERIN, RENTNER, SEKTION

8   ABGESANG, ATTRIBUT, BRASSICA, KESSHEIT, KETZEREI, REKORDER

9   EMAILLURE, GANGSPILL, KERNKRAFT, NURISTANI, SCHARNIER, SOPHOKLES, TOASTBROT

10   PONTIFIKAT

11   HERSTELLUNG, KOMMANDATUR, LEBENSALTER, MORPHOLOGIE

4   BOAT, ESTE, GRAF, MINI, PLOT, TRIO

5   ABRUF, AUTOR, BRAND, EKART, ELTER, ENKEL, FERCH, HEBEL, ISLAM, OLLIE, PARZE, REGAL, REIKI, RUBEL, SKUNK, SOHLE, THING

6   BAOBAB, BUKETT, GRUSEL, HELLER, JETSET, VORBAU

7   ARTHOIS, ASKETIN, AUSGUCK, HABGIER, KANAPEE, MANAGER, PANCAKE, PATELLA, ROTBLAU, RUHETAG, SENATOR, STRIEME, SUDHAUS, TERRAIN, TOCHTER

8   ADERLASS, LEHRGANG, ODYSSEUS, POTEMKIN, PRESTIGE, RADSTAND

9   AGESILAOS, BRANDTEIG, FERNBLICK, KARTOFFEL, KLAPPBETT, LEHNSTUHL, MOHNBLUME, NUSSTORTE, PATCHWORK, PORTFOLIO, SARKASMUS, SCHERCHEN, SCHILLING, SCHWELLER, TEEBEUTEL

11   KARTEIKARTE

4   ABEL, AVUS, BALL, BERG, BLUE, ELEN, EZIO, HAST, MAIS, MOLE, ONUS, ONZA, PLUS, RITT, ROBE, SIEB, TITI, TROG, UMKI

5   ADLER, ANGST, ATLAS, AVRIL, EIMER, ERLAG, FAHRT, FEHDE, LADEN, NEFFE, ORDEN, RABBI, RADIO, SAKEN

6   ABFALL, ABREDE, ALTARM, ALTMAN, ETALON, FINALE, KANTON, KLECKS, LERNEN, PATINA, SCHWUR, VISIER

7   ARSENAL, BEAMTIN, FESTAKT, INSTANZ, MAILBOX, ROBOTER, SARAFAN, STAUDTE, STROSSE

8   DUMMKOPF, EINREISE, ERDBEERE, FRAXINUS, HARTMANN, HEFETEIG, LANDGRAF, PYRAMIDE, REBELLIN, TARIEREN, TARTSCHE, TEETASSE

9   ATTENTION, FRIKASSEE, LAUSITZER, MARIMBULA, PANTOFFEL

10   ABENDKLEID

11   MAGNETKARTE, MONATSKARTE, STERNSINGEN

4 ALOE, ATZE, BEET, BENZ, EITZ, HANG, MANN, NEER, OGOT, OPAL, RIED, TURN, TUTE, ZORN

5 ABWEG, ABZUG, ARCUS, BEBEN, BEGAS, BELEG, BLATT, DALBE, DRALL, FLORA, GARDE, LITZE, LOKAL, LUENA, NAGIB, NISSE, NONAN, NOTAT, RAABE, RUDOW, SALEM, SPEED, SPEER, STOLA, TIGER

6 ABRISS, ATTEST, METAXA, MITTAG, NESSIE, RAPTUS

7 AMSDORF, ARDENNE, AUTORIN, BEIFALL, BERGERE, BLAMAGE, BRENNER, ERHARDT, KALDERA, KARDONE, KONZERT, LEOPARD, PANTINE, PLUNDER, UROLOGE, VERBENA, VETERAN

8 ERBARMEN, SCHUPPEN, TAKELAGE, TURNFEST

9 EMSIGKEIT, KATAMARAN, RAUMANZUG, REISENDER, TAFELWEIN

10 BALLABGABE, ERSATZTEIL

11 DREIERWETTE, GESETZBLATT

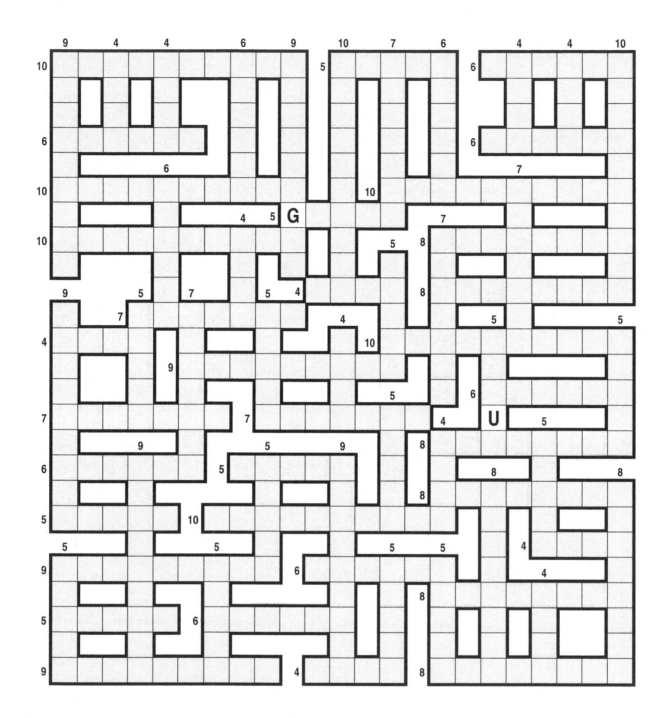

4   ARCO, FLAK, IDEE, LIFT, MEIN, NAPF, NEFI, ORFE, PAKO, PULL, REBE, SAKE

5   ALAIN, ALAUN, ASIEN, BOHLE, CHONS, DOLCH, ERNTE, EZERA, GEIGE, IBERT, LOGOS, MASKE, NEEFE, PROFI, TUNEN, TURAN, WOCHE

6   AKTION, DIPLOM, ERHALT, GARAGE, GELEGE, GESTIK, KINESE, NEUBAU, RUBRIK, TELLER

7   BESTECK, INSASSE, KEMPNER, SCHLICK, SCHNAPS, SEHERIN, ZUFLUSS

8   ABSORBER, ANRAINER, FRONTALE, FUNKTION, REFORMER, SCHULTER, ZIMMERER, ZYLINDER

9   DEMISSION, ENTWERTER, HAGEBUTTE, HYPOTHESE, KALTWELLE, RAFFINOSE, SCHNITGER, SPONSORIN

10   AKADEMIKER, ENGAGEMENT, HAUSARBEIT, KOPERNIKUS, LEDERWESTE, MARKETERIE, PRACHTFINK, SAUERKRAUT

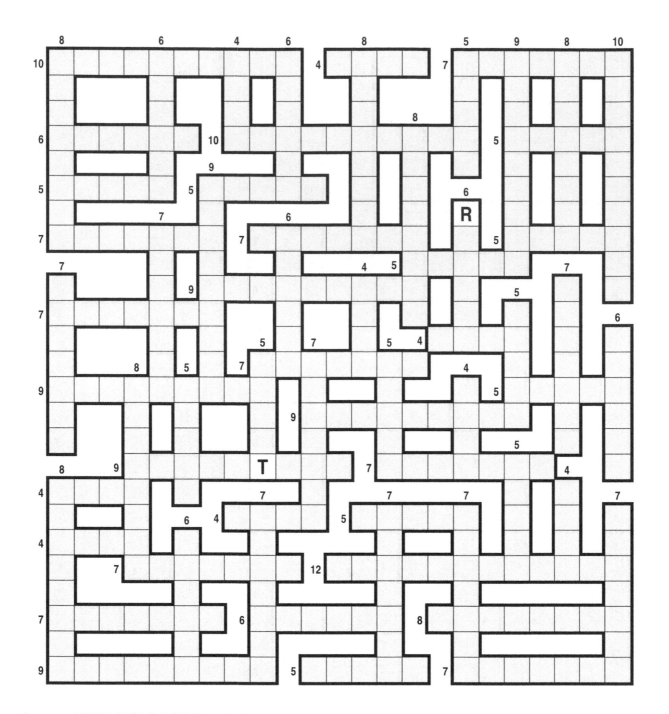

4   ALTE, EGLI, ESAU, LAVA, OBER, PATE, RIES, TALK, WORT

5   ALIEN, BARTE, BESEN, BOJAR, EFFET, FESTE, GAUBE, INDIZ, KRONE, MARAL, ORBIT, PHASE, TATAR, THOMA

6   DAHEIM, GERSTE, KLEIST, MARDER, MIHRAB, MONTAG, REDOVA, RELIKT

7   ABFRAGE, AMULETT, ANTLITZ, AUSREDE, BEIWERK, EINWURF, ERNESTO, FROTTEE, GIELGUD, HAHNREI, HENDEKA, KOMPASS, MALERIN, NAIROBI, REFERAT, REIZKER, VORREDE

8   ALPHABET, AMTSZEIT, EINSTIEG, MUNDLOCH, PUMPHOSE, SCHIEBER, SERENADE

9   FAISSERIE, INFOMOBIL, INTUITION, MITBESITZ, ROASTBEEF, SPARTERIE, TITELBILD

10   KNICKEBEIN, MONOKULTUR, SAHNETORTE

12   LANZENREITER

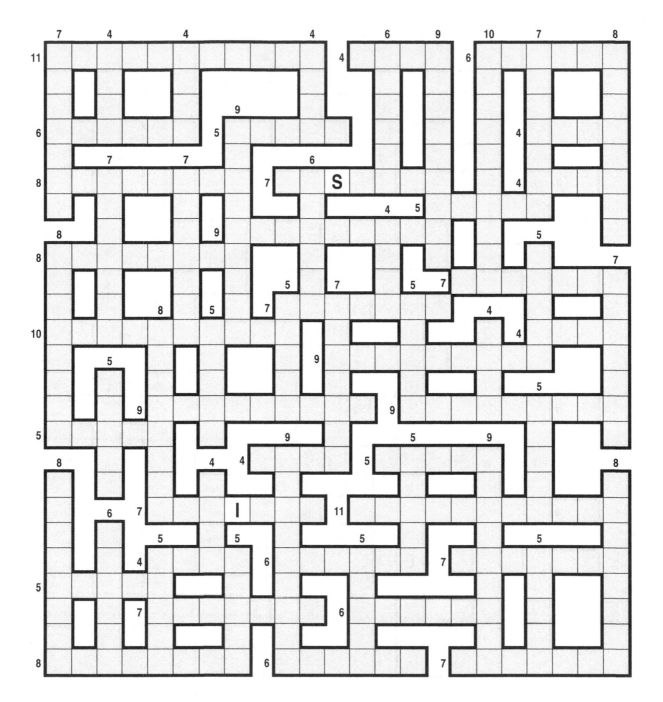

4   ASAM, AULA, AURA, BUBE, DAUS, EAST, ELEA, GROG, RAPS, SIMS, TIER, YSAT

5   AFRIK, DUMAS, ERPEL, GEIST, GEORG, LEITE, LOGIK, NETTO, NUDEL, OHSER, SELES, SPELT, STOPP, TADEL, TRAUM, TSUBO

6   ADORNO, ARABER, ASKARI, HEROLD, LETTER, ONOSMA, STARRE, UNRUHE

7   AKROBAT, ALTGLAS, ANSPORN, BASTION, EDELGAS, GEBALGE, GESICHT, GOLIATH, LEERGUT, NEURIES, REBECCA, RENEGAT, STANZEN

8   EGOISMUS, EMIGRANT, GERMANIN, SPIELTAG, STADTGAS, STANDORT, STARGAST, SZENARIO

9   EREMITAGE, ERFAHRUNG, KRAFTWERK, LANDROVER, MODERATOR, REPORTAGE, SCHULFACH, SCHWINDEL

10   ROTISSERIE, SEEANEMONE

11   FESTBANKETT, GLEDITSCHIE

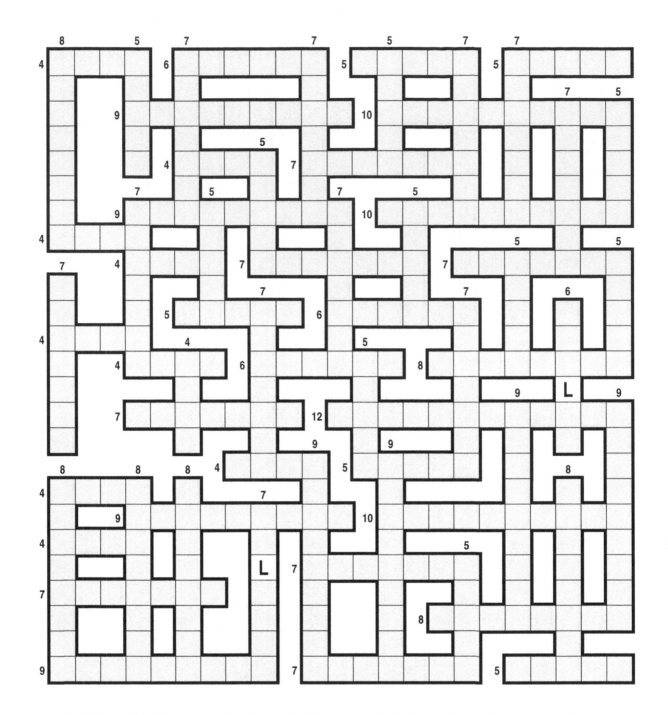

4   EARL, FASS, HEIA, LAND, LIRA, LUFT, SEAL, SIEG, STIL, UNZE

5   ASTAT, CLERC, DEFOE, DERBY, DROPS, EAGLE, ETWAS, FIDUS, FRIST, GENRE, LARNI, LEBEN, PFUND, SILBE, TROTZ

6   EINRAD, KODIAK, KOLLEG, MASSIV

7   ANKLAGE, ANSPIEL, AUFGELD, AUSGANG, AUSSAGE, BULGARE, DENGELN, DERIVAT, GASKELL, KREDENZ, LIBELLE, MELDUNG, OMELETT, SCHLUSS, SCHUBER, TABELLE, TRUCKER, VORFAHR

8   ALDOLASE, ANSEGELN, EISVOGEL, FLUGZEUG, HALBAFFE, PELEMELE, SEKTGLAS

9   BELVEDERE, DARLEGUNG, EIGENNAME, GEGENWART, LANDEBAHN, LEHRSTUHL, PUNKTSIEG, ROSTLAUBE

10   DONNERSTAG, PLANSTELLE, SALATTHEKE

12   STECKENPFERD

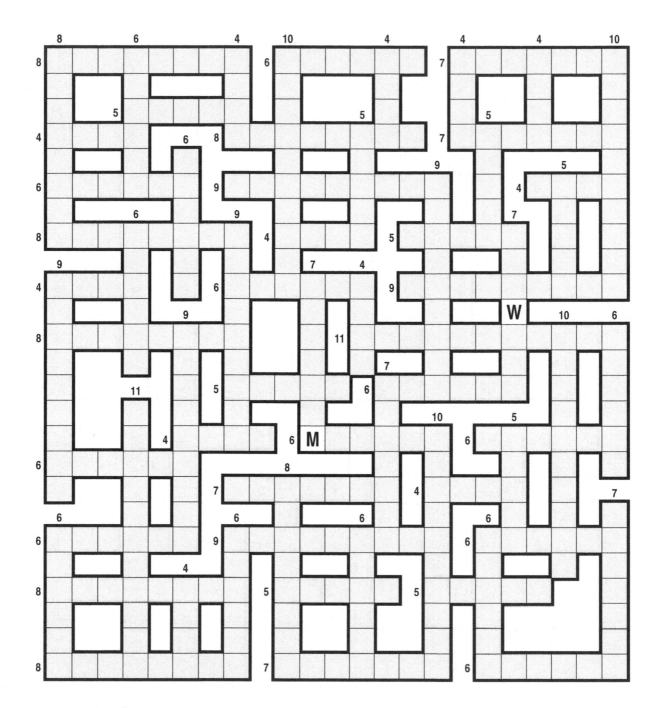

4   AAKE, BORN, BREI, ESSE, FACH, GIPS, LURE, MAST, NETZ, NOBI, NOLI, SPAN

5   AMSEL, ELEMI, ESSIG, FOKUS, HERTZ, IDYLL, PULKA, RIGHT, TACHO

6   ANGABE, BEFEHL, BLESSE, COLLIE, ENTREE, KARZER, KLASSE, KUCHEN, LIERCK, MAKLER, MAMMUT, NUANCE, PAGODE, PENDEL, RASTEN, REGION, REKORD, TREBER

7   FLANELL, GASWERK, HELIKON, LIMONIT, OKTAGON, TAKELER, TEMPLUM, ZECHINE

8   BARBECUE, BERLOCKE, EDITORIN, EILBRIEF, HAUSHALT, LATEINER, NACHTBAR, TOLLHEIT

9   ALPENROSE, APHRODITE, DESJATINE, FORSTWIRT, HAUSSTAND, KILOMETER, SPIELGELD

10   ALBINISMUS, LEINENBAND, SEGELECHSE, TIGEROTTER

11   BIBLIOPHILE, BOWIEMESSER

4   ACHT, BIER, BLAU, EPOS, HOLZ, KAHN, KOHL, LEIM, PUMA, SKAT, STAB, TELL, TEST

5   AETOM, BONZE, BUSCH, DINER, FOLGE, ISKRA, KNETE, KREIS, LEIER, LOEST, MENGE, NACHT, NOORT, PANNE, PATIN, PUSTE, REMIS, SERIE, SETUP, STAAT, TEPEL, ZANGE

6   ABHANG, SOMMER, TALENT, TROTTE, TUPFER

7   ALKESTE, ASIATIN, AUSTRAL, CHAPLIN, COLLIER, EHRGEIZ, KINETIK, SCHACHT, SPANIEL, STROPHE, TATZEIT, TROUBLE

8   AUFSEHEN, FLEGELEI, RAUMFLUG, TEAMCHEF

9   APFELSAFT, AUSKOMMEN, BESIEGTER, DIENSTWEG, EISENSPAT, GERADHEIT, GUMMIGUTT, LITAUERIN, PUFFOTTER

10   ERLEDIGUNG, RIPPENFELL, SUBTRAHEND, TAUBNESSEL

11   HAUPTGEWINN, SCHNARRWERK

4 ARNI, BEIL, BROT, CHOU, IDOL, LIGA, NASE, PINT, RING, SATZ, SPUK, USUS

5 ALARM, ALLEN, ARENA, BRIEF, DRINK, IMMEL, LATTE, LOREN, METER, MONAT, NILUS, ORGEL, SALSA, SCOTT, SHIRT, STEPP

6 DECKEL, KNICKS, POESIE, PORTAL, RADIUS, SATTEL, SEILER, SENDER, SIPHON, SLALOM, TEMPEL, TIEGEL, TRETER, TUNIKA

7 ABKUNFT, ANREGER, AUKTION, EDELMUT, ELEMENT, GALOTTI, LESEREI, MERBOLD, MISCHEN, MISCHER, WIRRNIS

8 ANLIEGER, DIGESTIF, ESTRAGON, INDIANER, KANZLIST, REISWEIN, STERLING

9 EHRENLOGE, ERNSTFALL, FAHRKARTE, KONDENSAT, PREISGABE, STOFFTIER

10 CHAMPIGNON, OLIGARCHIE, SANDKASTEN

11 INTERPRETIN, PUPPENSTUBE

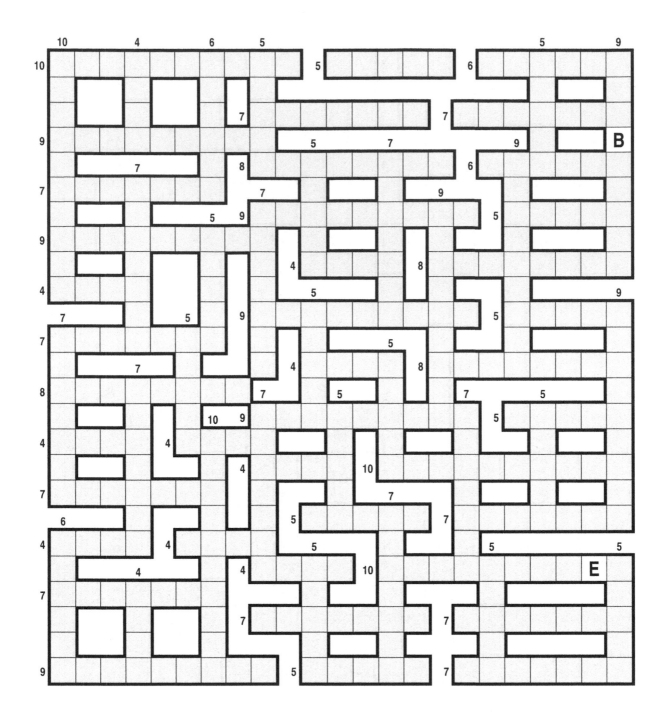

4   AREA, EULE, FLUR, KIEL, LORD, OLPE, PFAU, RIFF, ROSE, TALG, TOUR

5   ACHAT, CRAIG, CREME, FLETZ, HEIDE, IRAKI, KRAPP, KUGEL, LETTE, LIEST, LUTET, NARDE, NIERE, RIBAT, RODEL, TALAR, TOAST, TORTE

6   EILAND, PLEITE, TERNAR, UNHOLD

7   ABSPIEL, ANRUFER, AUFTAKT, AUREOLE, BOURGET, CLAUDIA, EINBAND, GESTALT, MRDANGA, PUPILLE, REAUMUR, RETORTE, ROMANIK, ROTAUGE, TRAETTA, TURMUHR, UNSTERN, URKUNDE

8   CHARMEUR, EINTRITT, IRRLICHT, RASTHAUS

9   ABENTEUER,BRETESCHE,DIEBESGUT,DUDELSACK,INKUBATOR,LICHTJAHR, MODEFARBE, NETZMAGEN, REPARATUR, TERPENTIN

10   AHNENTAFEL, FERTIGKEIT, RANDGEBIET, REPORTERIN, ZEITARBEIT

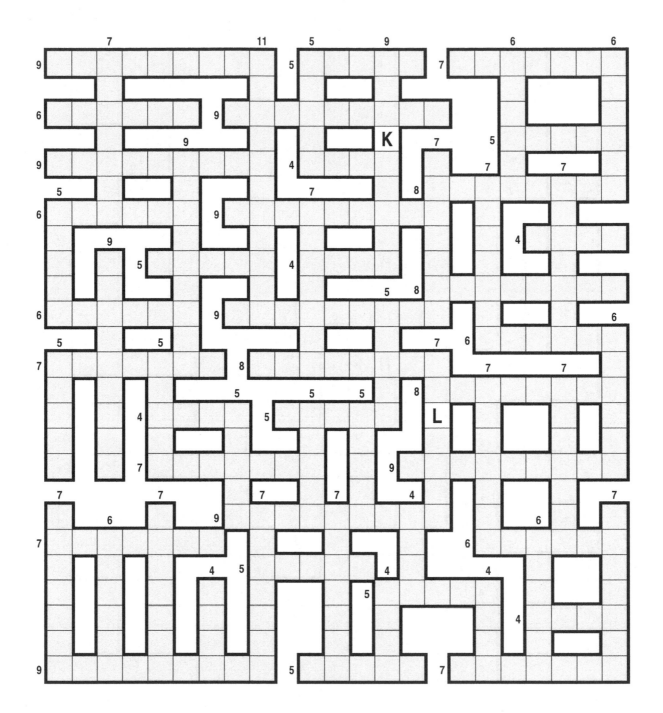

4 CODE, EBBE, ELCH, ERNI, MEER, NAME, PLAN, ROHR, TIRO

5 ALTES, AMMER, DINGO, DOLDE, GREIS, KLIPP, LAUNE, LESER, ORNAT, PONTE, RAMME, RANKE, RODEO, SELAM, TRUNK

6 EDITOR, EIKLAR, KRACKE, MOUSSE, PARSEC, RATTLE, SHARIF, SORGHO, SPARER, TRISET

7 AGNOMEN, ALLIANZ, ANPROBE, BALLADE, BARACKE, BASSIST, GALLONE, KRAWEEL, MINERAL, NONSENS, RAGTIME, ROBINET, ROTDORN, SKANDAL, TAUCHEN, THALEIA, THEORIE, TRECKER

8 ADRESSAT, AUTOKRAT, GENESUNG, KIRCHNER

9 APFELWEIN, AUTOATLAS, FLUTLICHT, KEIMZELLE, KENNKARTE, MEERKATZE, MERKHILFE, NACHSORGE, OBSTTORTE, PORTMONEE, STRAMPLER

11 STEREOTYPIE

3   MAO

4   ALGE, AMIS, ATEM, ESEL, FISH, FLUG, HABE, HEFE, HIEB, MARC, ODAL, RADE, SEIM

5   ALTER, ELAST, GERTE, ISMUS, KAKAO, KERBE, KONTO, PATCH, PFERD, PUTTO, RENKE, SPREU, STIEG, TASSE, TINKO, ZITAT

6   BUCINA, DRAGEE, EINZEL, FIGARO, HEDWIG, KACHEL, UGANDA

7   ABLESER, AGRONOM, ANWESEN, FATTORI, HALLORE, KLAMAUK, LITANEI, OMNIBUS, RESPEKT, SATTLER, STECKER, TAUENDE, TREMOLO

8   APRIKOSE, AUSBLICK, BEWERTER, HITZFELD, INSTINKT, LANGHAAR, OFENROHR, SPANISCH

9   BEKUNDUNG, BLATTNASE, GENERALES, NEUZUGANG, STRATEGIN, TISCHREDE, WISCHTUCH

10   GARTENHAUS, RENNFAHRER, ROSSTRAPPE, STALLORDER, URLAUBERIN

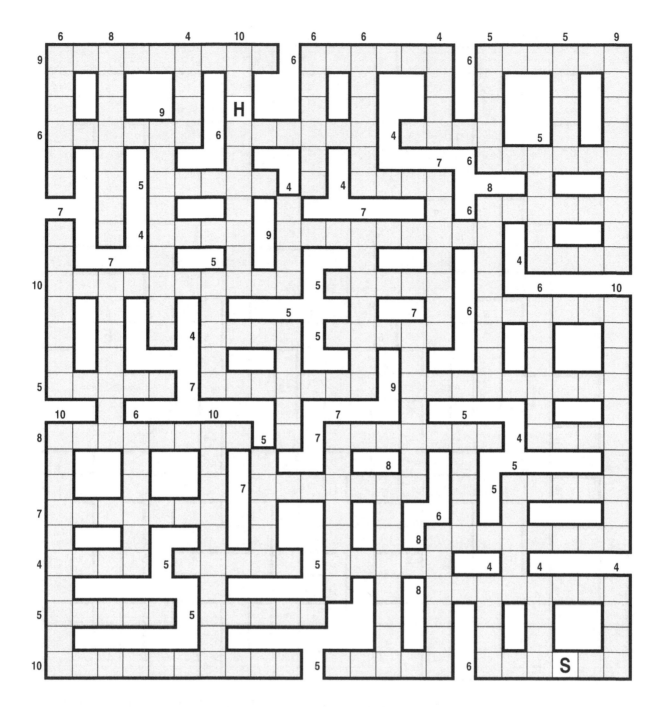

4 ARIE, EMSE, ERLE, GIER, GOTT, GRAS, HANF, LEIN, MARE, NOTA, REIZ, RENN, THAR

5 ARMUT, ASIAT, DAMNO, DOGGE, ETHIK, GALON, GRAMM, IDEAL, INSEL, KLAGE, LOTSE, OCHSE, OWENS, PUDEL, PUTTE, SKALE, SONDE, WESEN

6 CISTER, DIKTAT, DOGGER, DUSCHE, ERDGAS, KIRSCH, LEITER, NASSER, PESADE, SCHULE, SENKER, TARAFA, UNIKAT, ZEEMAN

7 FORELLE, GASHAHN, GEDICHT, KARPFEN, MAGAZIN, SACHMET, SESSION, SOPHIST, STRIPPE, WERBUNG

8 AKZIDENZ, DROSCHKE, EISNADEL, ERREGUNG, KONTRAST, ZEUGHAUS

9 ALLEMANDE, ENDERLEIN, RANGIERER, STANDGELD, STIEFKIND

10 ERRICHTUNG, KOMMUNIKEE, LOHENSTEIN, REGENTONNE, RENDEZVOUS, STANDESAMT

4   ANGO, BUCH, CAPE, CURE, DIEB, EGEL, GURT, IRIS, LOHN, MIST, NEON, NEST, REAL, STAN, UFER

5   ECKER, EISEN, HEBER, HORUS, IMKER, KOLLI, KOTAU, KROKI, SKALA, TROSS, TUNTE

6   ABSAGE, ANGELN, BOKERT, BOLERO, DOLLAR, HEKTIK, INDIGO, IRRTUM, KLIMME, SCHWAN

7   ABSEITS, ALKYONE, DEKURIE, ESSLUST, GEDANKE, MONITOR, REITWEG, TOURNEE, URVATER

8   BEATMUNG, BLUTDORN, CLAUDIUS, ENERGICO, EXISTENZ, KARRIERE, NUSSBAUM, OLDTIMER, ROSEWEIN, SCHRAMME, SPRINGEN, TELEFOTO

9   BALDACHIN, PFLANZUNG, PLUMPSACK, REGELFALL, SENSATION, TRIENNALE

10   BUCKINGHAM, ROLLBRATEN, STRANDBURG

11   ANSCHAFFUNG, AUGENDECKEL, ESSKASTANIE, NEONLEUCHTE

70

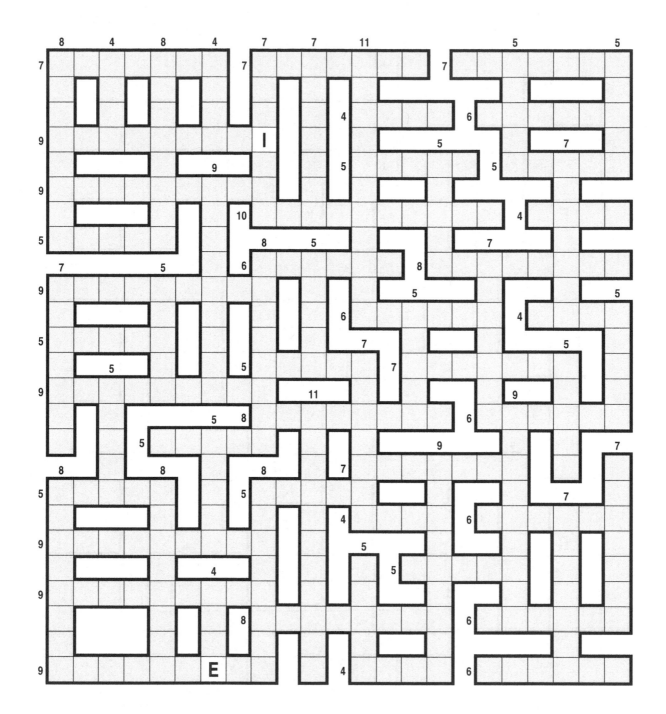

4   ADER, BONI, ENAK, GARE, GRAM, KODE, THOR, TURM

5   GATTE, GRECO, HENDL, KASCH, KONYA, LASKA, LASSO, LASUR, MAGOT, OBERS, PAPAT, PASCH, POLKA, RANFT, RIESE, ROLLI, SPEZI, STOCK, TITER, TYPUS

6   AKZENT, BIOGAS, ISOBAR, KNEIPE, OBDACH, SERVAL, STANZE

7   BEGANNA, ECKBALL, FALLADA, GARNELE, LIBUSSA, LIGATUR, MEMOIRE, ROHHEIT, SAMSTAG, SAURIER, SORITES, VERTIKO, WAHRUNG

8   ANAKONDA, AUFSTIEG, BRIOLETT, HESEKIEL, KUHBLUME, LEISTUNG, SCHNURRE, SINCLAIR, TIERHEIM

9   ANSCHOVIS, BARBAKANE, EMAILLEUR, HELLSEHEN, INTERESSE, KALTSTART, LEITKEGEL, SPINNEREI, UNTERLAGE, VORSTEHER

10   STERNKUNDE

11   EIGENBEDARF, TREPPENHAUS

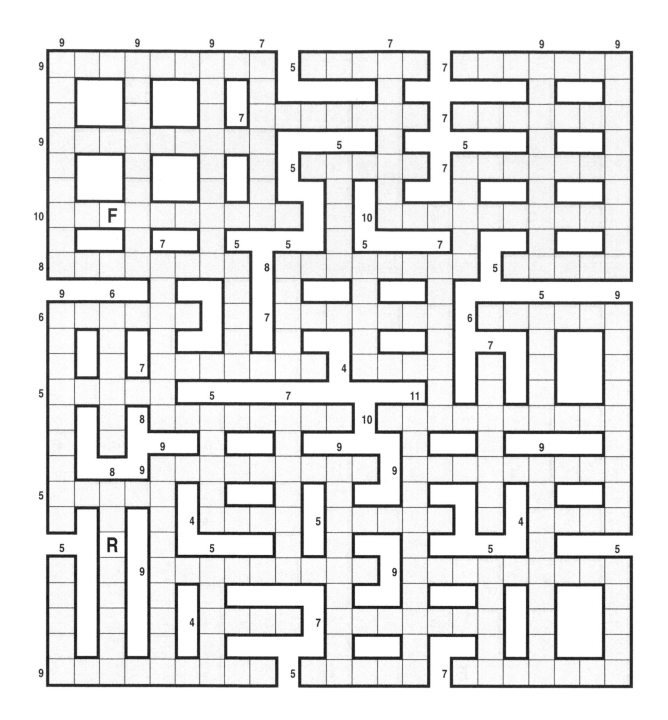

4   GAUR, GIRO, LIST, MAMI

5   ARSEN, CLOWN, CREPE, DRAKE, DURRA, FERSE, HAUER, HEGER, HURRA, NAGEL, NEBEL, PROBE, QUINN, RATER, REDEN, STILB, STROM, ZUZUG

6   ENDUNG, IMPORT, SPINAT

7   BERATER, CHROTTA, ENERGIE, GEHETZE, IRIDIUM, KORNETT, MESTIZE, MOKETTE, OBSTMUS, RIBBECK, SCHWARZ, TIROLER, TRAUUNG, UHRGLAS

8   EIERTANZ, GESCHICK, GIRLANDE, HINNAHME

9   ANGOSTURA, BERGWIESE, BLESSHUHN, BRENNEREI, ERSTAUNEN, GELIEBTER, KOALITION, KORREKTOR, LUFTFAHRT, MEERSALAT, PALMLILIE, PRAKTIKUM, PROFESSOR, RATIONALE, SCHWIMMEN, SEQUESTER, STICHLING

10   LUFTREIFEN, STECHKANNE, TAFELWAGEN

11   TALENTPROBE

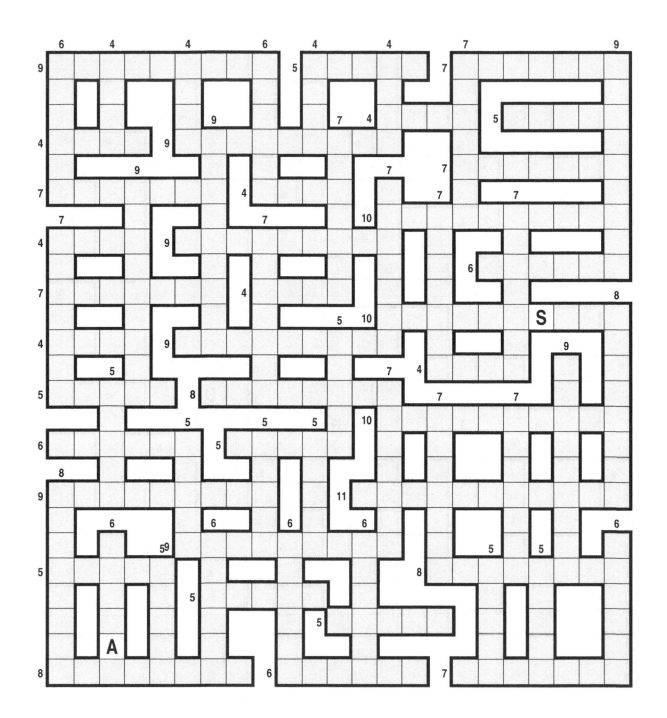

4 ANNA, ESPE, GALA, HUNT, KUMT, LEDA, PECH, POSE, RUCK, SAGE, UNKE

5 AROMA, ELIZA, ERIKA, ERSTE, GRAND, HERDE, KOALA, LAGER, NANTE, ONKEL, ORGIE, PREIS, SENOR, STUHL, WODKA

6 BEFUND, EHRUNG, EXKURS, FELLAH, KARTEI, KNOTEN, KWARTA, PONTOK, SONETT, UNGARN

7 ABSCHEU, BAUWERK, DIAMANT, ETAGERE, EXPRESS, FIKTION, KAPELAN, LATERNE, OHNSORG, PHLEGMA, PLATANE, SCHAFFE, SCHLIPS, SEHTEST, UNERNST

8 AUFPREIS, BAUWEISE, LAGERIST, SCHALUNG, SIEGERIN

9 ABLEHNUNG, ARCHITEKT, BARSCHECK, ERBANLAGE, EXTERIEUR, MEERESARM, RUHEPAUSE, STEINZEUG, TEERPAPPE, ZELTLAGER

10 NEBENSACHE, SPEISESAAL, TRETROLLER

11 LEHRANSTALT

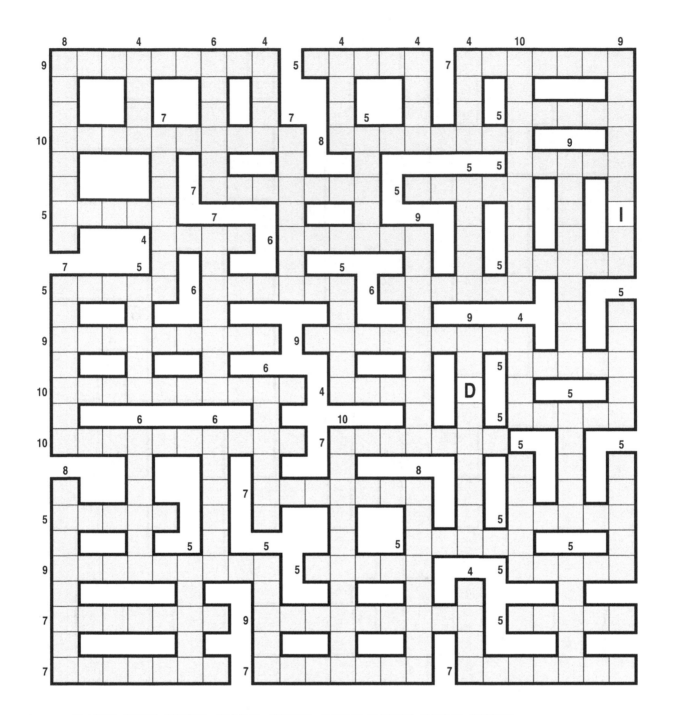

4   BART, GEIZ, HERR, KALO, OTTO, PORE, RHUS, SOLO, TRUB

5   ALTAR, ANGER, AREAL, ARRAK, ASADO, BEMME, EDIKT, EIDAM, FLEUR, GUMMI, HALMA, INGER, KHAKI, KOBRA, LAMPE, NEGRO, PISTE, PRETI, SCHAL, SOCKE, STEAK, TONNE, TOUCH, TRAKT, TRANK, ZEBUS

6   ANHIEB, BASTEI, ECLAIR, ISOLDE, PACKER, STRAMM, URZEIT

7   BETRIEB, DEFIZIT, HORTUNG, MONTAGE, OFFERTE, REDDING, RITUALE, ROUTINE, RUHEPOL, SEEGANG, URTRIEB, ZESSION

8   BIERDOSE, OPERETTE, TEILHABE, WARSCHAU

9   BLASMUSIK, BLEISTIFT, BOHRINSEL, BRAUSEBAD, EXPANSION, GEDENKTAG, GRUNDLAGE, SEKRETION, WAHRSAGER

10   ANWOHNERIN, GELEITBOOT, REFORMATOR, REIHERENTE, TAPEZIERER

4 ABER, BALU, DAME, EDLE, FANG, FELD, GIRL, HARM, HELD, KOOG, LUMB, MAMA, MISE, NORM, POST, SILO, TARI

5 BISAM, BODEN, BOWLE, ENTER, FARBE, FINCH, FRETT, GABEL, GLANZ, INDRA, KAMIN, RUMBA, RUNDE, SAMBA

6 DIEBIN, ETAPPE, GESTUS, GETOSE, IRONIE, KARREN, MAKEBA, RITTER, ROMERO, TANREK, TSETSE, UTOPIE

7 ABRAMOW, ANTWORT, BARTSCH, GEDUDEL, MARJELL, MILONGA, NASHORN, PETITOR, REGATTA, REIBUNG, SCHRITT, ZAHLUNG

8 AUSKLANG, BIENNALE, EXTENDED, FREILAND, REISEREI, SPRENGER, UNWETTER

9 ARTIGKEIT, BACKSTUBE, EISENBART, ENTSETZEN, ESPELETIA, KLEOPATRA, LEIBRENTE, ROTARMIST

11 AUSWANDERER, FISCHMESSER, GURKENSALAT

13 LEHRAUSBILDER

4   AGIO, ALPE, BASE, ENDE, HERO, LAIE, LEHN, MILU, ODEM, PFUI

5   ABGAS, ALESI, BRACK, COBOL, DELLE, ELUAT, ESSEN, ETAGE, JANDL, MIMIN, OCHTO, REIHE, ROTTA, TENNE, THAER, THRON

6   GRISON, PETERS, SPAGAT

7   AMPHORA, ARTEMIS, AVGERIS, BEAMTER, BEISEIN, EINFALL, ENKLAVE, GEHERIN, HOCHRAD, HOFDAME, KOLLIER, MANUELA, MATETEE, NEUNTEL, NILGANS, RATHAUS, REBLAUS, RICHTEN, SCHEMEL, SCHICHT, SCHROTT, SPITZER, STEIGER, SUBJEKT, THERMIK, TRAINEE, TROMMEL

8   BURLESKE, EINNAHME, EXEMPLAR, SNACKBAR

9   ERDMETALL, MONOTONIE, NACHFRAGE, SCHLUSNUS, SLAPSTICK, STROHSACK

10   EINSIEDLER, KRONSBEERE, TONNENDACH

11   STORNIERUNG

4   ADEL, AGMA, BALG, EDNA, EROS, EXIL, HOHN, HOMO, IRRE, LAUF, LIED, OWEN, REIM, SPUR, TAKT, WATT, WIND

5   ABBAU, ASTER, DINAR, FLUCH, INDER, INFUS, KNALL, KRACH, MANNA, ORKUS, RILLE, SALAT, SPURT, TAGEN, ZAGEL

6   ADREMA, APPIAN, AVENUE, FORMAT, FRATZE, KROLOW, LAPPEN, MELONE, PYTHON

7   ARTIKEL, BEDACHT, DELMARE, EHECATL, ENDLAUF, EUSEBIE, GARDINE, MELODIE, REVOLTE, SORGHUM, STOLLEN, TITULAR, TOASTER, TONBAND, WICKERT

8   ANOMALIE, AVERSION, DIENSTAG, FETTLEBE, HARDWARE, NILPFERD, RADKAPPE, TAGEWERK

9   ROHRSTOCK, SANDTORTE, TARIFLOHN, TERRARIUM

10   ERWIDERUNG, LANDPARTIE, PFLASTERER, SCHAFWOLLE

11   STEINSETZER

4   ABRI, AMME, EREN, FACE, INFO, ISER, LEDE, LOHE, MILE, MOOR, NIKE, NUHR, ORCA, PIER, PTAH, ZINK

5   AETIT, APFEL, EBERT, EINEM, GREGE, HONDA, IRREN, KREBS, LEMMA, NABOB, PAMPS, SPRIT, STERN

6   ARKADE, ELEGIE, ENTERN, ESELEI, FREITE, GELEIT, GOETHE, HASARD, KAPTUR, KOLOSS, PFRIEM, SIEGEL, SIRENE, STEILE, TEZETT

7   ABSENCE, APPLAUS, ARSENAT, BUSSARD, DEMENTI, EBENIST, ETIKETT, HOSTESS, LACHTER, LAMBADA, MITLEID, NESTBAU, OPOSSUM, ORPHEUS, PRELUDE, SCHERBE, SKISPUR, SUPPLIK, USTINOV

8   FELDBETT, GASTMAHL, GRASHALM, KATASTER, ROLLFELD, SEEHAFEN, TAKELUNG

9   DEMONTAGE, ERFASSUNG, FORSTHAUS, ROHRFEDER, SPEDITEUR, VIERERBOB

11   POSTADRESSE

4   AHOI, AUGE, BELL, CLOU, DECK, ENTE, ERBE, EYTH, GABE, INKA, KANU, LAKE, MIME, NIET, RABE, RUTE, SAAL, SOIR, TAKI

5   AXIOM, BUCHE, ESTEN, FAUST, HAREM, KNORR, LAUTE, MAGMA, MEILE, NELLA, RAUCH, SATTE, SENAT, TAFEL, TEICH, TRUCK

6   DUNKEL, ELFTEL, KLINGE, PIMENT, RELING

7   ALDEHYD, ANPFIFF, BETREFF, DESSERT, EHERING, ENTGELT, ERDWOLF, FAVORIT, IMKEREI, KRAUTER, MADONNA, MORDENT, OKTOGON, OPTIMUM, PFARRER, STUDIUM, THERIAK, TONBILD, TRIOTAR

8   ASSERVAT, ERDREICH, SILLITOE

9   FEUERWEHR, ITERATION, MAHNBRIEF, MELKEIMER, RASTPLATZ, TORTELETT, UNTERTEIL

10   GEBERLAUNE, LONGANBAUM, MONEGASSIN, TRAGRIEMEN, TRAKTORIST

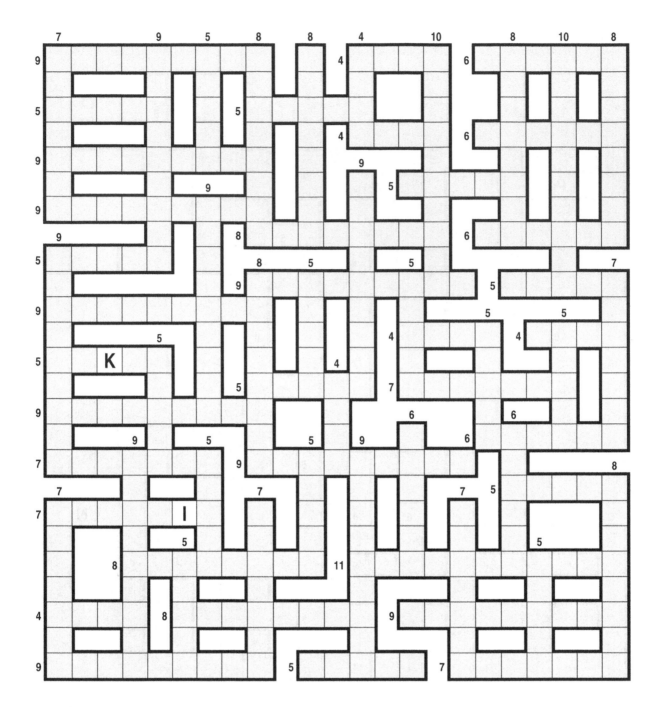

4   ABBE, EMIR, LOCH, MOLL, MOOS, OKRA, WALD

5   ABEND, ALLEE, ANITA, BEYER, BLUME, BRIES, CLERK, DEZEM, EGART, EICHE, EMMER, FAKIR, ITALA, NABEL, NAKIB, REGEL, RIFLE, TRACK, UMWEG

6   ANTIKE, FREUDE, GELENK, MAURER, NIMROD, PARADE

7   BERICHT, EISBEIN, GRIZZLY, KNEIFER, MUSCHIK, MUSTOPF, SIENESE, TOPSTAR, TRAJEKT

8   ABSENDER, EIABLAGE, EINSTURZ, ERBAUUNG, ETIKETTE, FREGATTE, INSERENT, KEUSCHER, ZUGKRAFT

9   BACHELARD, EHRENGAST, EIERSTICH, ENTWERFER, ESTAFETTE, FELDSALAT, FLIEGERIN, FORDERUNG, GARDEROBE, NACHTISCH, SONNENTAU, SPURWEITE, TELEFONAT, TRETLAGER, WARENTEST

10   AUGENZEUGE, STAHLBETON

11   ENDERGEBNIS

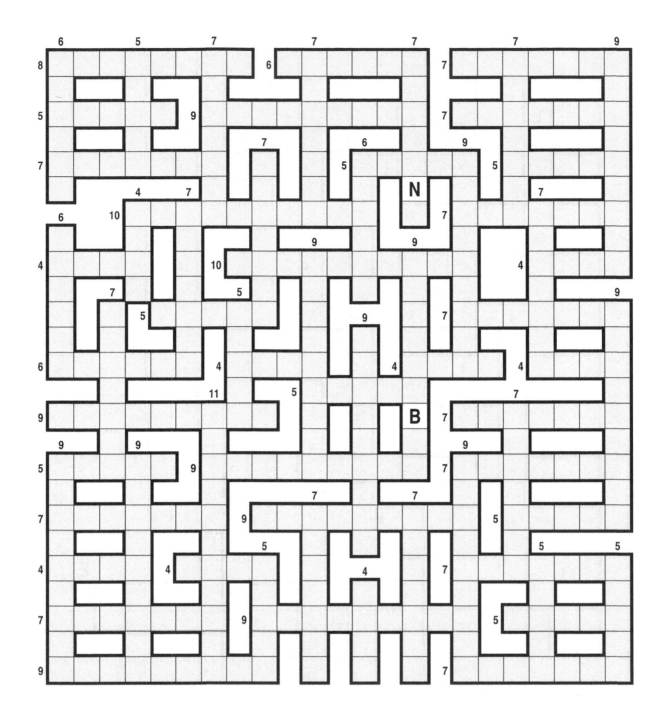

4 AMBO, AZUR, BASS, DOSE, EKEL, TUTU, VASE, WIRT, WOHL

5 BETER, BLUES, ESCHE, GLENN, GUTES, MERET, MODUS, NATUR, RADEL, RINDE, RISTE, SIEKE, ZEUGE

6 ABITUR, APPELL, BINKEL, FOREST, ROTTON

7 ABBITTE, ABLEGER, ABSTIEG, BARONET, BEDUINE, CHIRURG, GERMANE, LENKUNG, MATROSE, MORITAT, PINGUIN, PUNCHER, RAKETTE, REINBOT, ROTBLAU, ROTWEIN, SCHEMEN, SCHRIFT, SCHWEIN, STYLIST, TRAILER, ZWINGER

8 FAHRWERK

9 ATOMMASSE, FELDWEBEL, HASENMAUL, KRINOLINE, KUBANERIN, LOCHKARTE, PHANTASIE, SIGNORINA, STALAKTIT, STEPPTANZ, SURINAMER, TAGEREISE, TELEGONOS, TERVUEREN, TIGERAUGE

10 HAFTREIFEN, VEREHRERIN

11 SCHMELZEREI

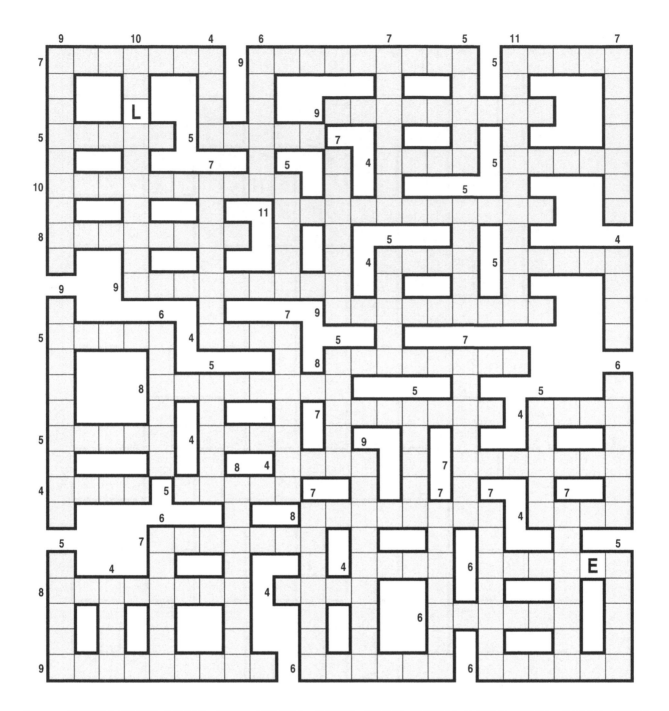

4   DUTT, EICH, ELLE, EPIK, HORN, KATE, OLLE, PHON, ROBE, SIEB, TANK, TEIN, ULME

5   ANGEL, ANMUT, ARDEB, BESAN, ECHSE, GAUPE, HENNE, HONIG, HOTEL, KIEME, LENNE, LIBER, MEISE, NEUES, NIVAL, PFEIL, RAMIE, SESAM

6   ACHTEL, GENICK, HIPPIE, KONTER, LITERA, PORTEN, RANGER, THERME

7   ANBETER, ANSTALT, BARDAME, BRAUNER, BRECHEN, DIPTERA, EISENTE, EPIZOON, HAKELEI, HAMSTER, KLAFTER, PATIENT, SCOOTER, SPRAYER

8   BELIEBEN, BILDBAND, INSIEGEL, OKTOPODE, TALISMAN, TEETASSE

9   BERGPARTE, FACKELZUG, GENREBILD, KALKSTEIN, KASSIERER, LEIERMANN, MUTTERMAL, TREIBEREI

10   AKTIENKURS, DELPHINIUM

11   EISENBAHNER, NONPAREILLE

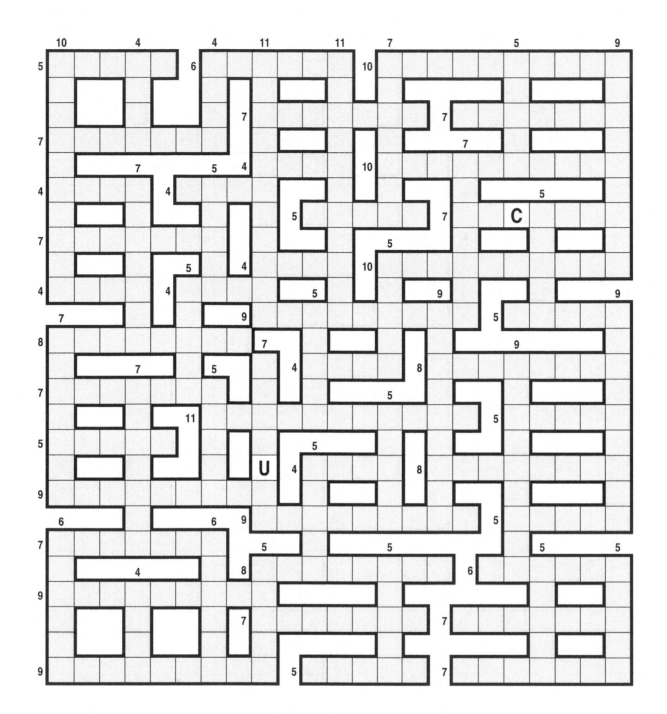

4   ALAT, BAKE, BANN, GLUT, HERD, ILIC, IRUS, LUST, MINE, NUTE, ROCK

5   ABRUF, AEROS, AKTEI, ALIBI, AWARD, ECLAT, FLAKE, HALLO, HATTO, HOWTO, IBSEN, KELCH, MARKT, MILAN, NOTAT, OLDIE, ORDRE, SEHER, ZARIN, ZECHE

6   ABWAHL, BEAGLE, ECKERN, STHENO

7   ABTRIFT, ALBERGE, ANTENNE, AUSFALL, BARKAUF, BERGSEE, BILDUNG, EINWAND, EISKREM, KAROSSE, KORSETT, LAMELLE, MISSION, RABATTE, RECHNEN, VULGATA

8   BATTERIE, BAUSTEIN, FASZIKEL, FESTMAHL

9   FLORISTIN, GAMBRINUS, GIROKONTO, LEITLINIE, LESERATTE, TAFELOBST, TELEFONIE, TRANSPORT, WAHLLOKAL

10   ARMBANDUHR, AUSSCHLUSS, VERTEILUNG, ZIMMERMANN

11   ANLEGESPIEL, CHLOROPHYLL, ELEKTRISCHE

4 ARCO, ATOM, CHIP, ENGE, FARN, LAUT, RAND, RATE, SALM, UKAS, UKKO, ZIEL

5 AWARE, DEGAS, ETUVE, GARAT, GELEE, KILPI, LEERE, LORKE, MAUER, NEITH, NISSE, PLAGE, REISE

6 AMEISE, BAIRAK, KASUAR, MAGNUM, NISCHE, RIEGEL, SCHALE, UHLAND

7 ABHILFE, ACETOIN, ADRESSE, AQUAVIT, EDITION, ENTERON, ESPARTO, GEBILDE, GREISIN, ISCHARA, KNEIPER, KURHEIM, SCHLIFF, TRAMPER, VOLLZUG, VORGABE, VORTRAB

8 ABSORBER, ARECOLIN, GASPEDAL, HAUSFRAU, NETZBALL, NIKOLAUS, SCHNITTE

9 EXCHEQUER, GRILLROST, HEUSTADEL, KAMASUTRA, KLETTERER, NASSRASUR, SCHARLACH, TRAUMBILD

10 ARISTOKRAT, EMAILFARBE, LECKERMAUL, RAUCHMASKE, REFERENDUM

11 AKKLAMATION

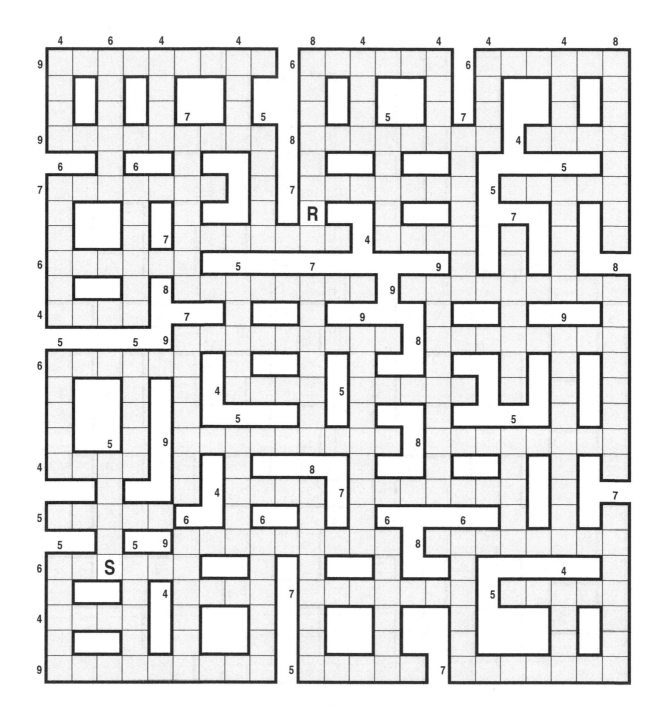

4 ELEN, ESAU, HECK, KULI, KULM, LAMA, LESE, LOOK, MAHL, MANN, MINI, PUDU, TAIL, TITI, UDEL, YUIT

5 FORUM, HALLE, HEROS, KABEL, KAMEL, KORAN, KREME, MAMBA, MERCI, NAMEN, NOTIZ, PINTE, RADIO, SIRUP, TROLL, WOLLE

6 EREMIT, FERKEL, FERNET, GURAMI, KAKTUS, LETTIN, MISPEL, PLUMPS, ROLAND, SOLIST, SPINNE, WHISKY

7 ADLIGER, BEHEBER, DRUCKER, EINWURF, GRANATE, OVERALL, PENSION, PLUMBUM, RUSTICO, USBEKIN, VERDURE, WENFALL

8 ANSTRICH, BEFINDEN, EINSICHT, ELLBOGEN, ENDSPURT, IRRLEHRE, RESERVAT, SCHILLER, SENKBLEI

9 ADRESSANT, BAHNREISE, DAMHIRSCH, FABRIKANT, HOLZKOHLE, KATAMARAN, OFFENSIVE, PARAGRAPH, PARISERIN, PRESSLING

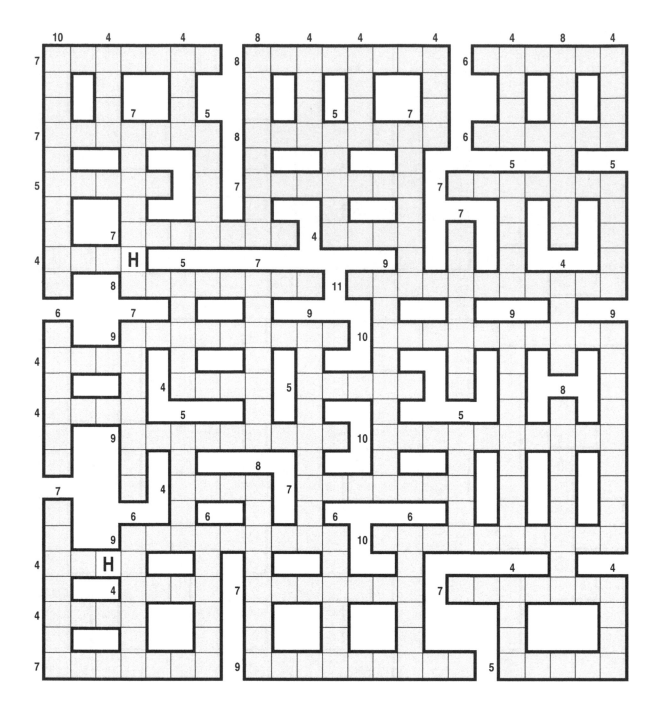

4   AHLE, AKUT, ARZT, ASCH, DANK, ECHT, FALL, HAHN, INGO, KRAM, LORI, MADE, RAIN, REUE, SAFT, SEIL, TUBE, URFE, URNA

5   CASSA, IRONS, LOEWE, MASUT, RERET, SKUNK, STROH, TIECK, TINTE, UNFUG

6   ANLASS, BANANE, FANGEN, GREENE, KUPFER, TRUMPF, UNSINN

7   ABLETTE, ANTIMON, AUFRISS, AUSWEIS, BEGEBER, BESCHAU, CASTING, FEHLLOS, FESTZUG, INSERAT, LESERIN, METZGER, SCHNAPS, TRAKTAT, ZUWACHS

8   EMERSION, ERDMIETE, FEIGHEIT, LANGLAUF, REKTORAT, SACHLAGE, STURHEIT

9   AMMONITER, BAUSTELLE, BESCHLUSS, FEUERZEUG, MOTORBOOT, SCHWINGER, SPIELMANN, UMGARNUNG

10   ABITURIENT, FILMPLAKAT, METHUSALEM, TONMEISTER

11   WANDSCHRANK

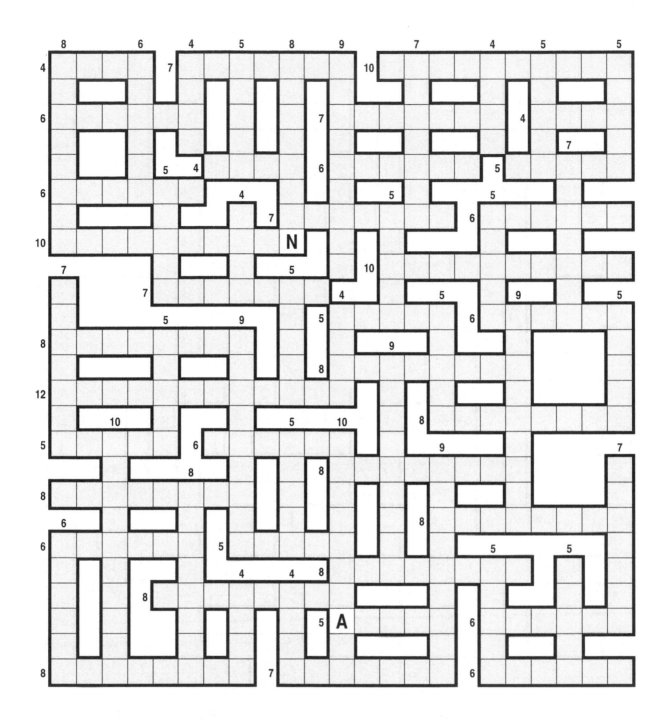

4   AULA, EURO, FLOR, HALM, KERR, LANG, NAHT, STAR, UNZE

5   ARAGO, BASAR, DAKKA, EPONA, ERKER, EXTRA, EZERA, FIXUM, FLAIR, INTRO, KRAFT, METZE, NIOBE, NOTAR, TADEL, TANYA, TIGER, TRICK

6   ABREDE, ABTEIL, ANREDE, BARTEL, ELSTER, ERSATZ, FLIEGE, FROTTE, GETOBE, NOBODY, REVIEW

7   ABDRIFT, AMULETT, AUTOBUS, EINKAUF, EISZEIT, RECHNER, ROHKOST, SEATTLE, WINDSOR

8   ANSEGELN, BALDRIAN, DREHBUCH, EIGENTUM, KOHINOOR, LEBEMANN, PLAKETTE, RABBINAT, REALLOHN, REGISTER, STAFFAGE, TEEBRETT

9   BAHNSTEIG, EISSEGELN, GERBSTOFF, NOTSIGNAL, SPRENGUNG

10   GRADIERUNG, NISTKASTEN, PROJEKTION, TACHOMETER, WASSERHAHN

12   ENTHALTSAMER

4 BOTE, BUBE, CLIC, EDEN, HAUS, LAUS, NAPF, NERV, PAAR, REST, RUNE, SAAT, TEIL, ZONE

5 ASKET, ASTAT, BOLUS, CAUER, ELLIE, ERNTE, HABEN, KIPPE, NEUER, NITTI, PETIT, RADIS, REGAL, SAHNE, SCHAR, TATAR, USTAW, VOGEL, YOUNG

6 BESITZ, BUGRAD, FRISUR, HORROR, KLASSE, MANDEL, NUCKEL, RAKETE, REGUNG, SENNIN

7 ALUMNAT, ANEMONE, ANSPORN, ARTERIE, AUFGABE, BESTECK, BISCHOF, BLAMAGE, BROILER, DICKENS, GANGWAY, HELIKON, LEISNER, MERKMAL, MOORING, SEEMANN, STANZEN, STOFFEL

8 BLUTEGEL, SEEBEBEN

9 ARMGELENK, CAMPANULA, FACTORING, GRUNDRISS, KAUKASIER, POLARENTE, POLYSEMIE, STEINMETZ

10 ANRECHTLER

11 RENOVIERUNG, SCHLUSSWORT

4   EGAN, GELD, KORB, NABE, ORAL, OVID, TIME, TURN, WABE, WUST, ZAHN, ZEUG

5   ANGST, ANTEK, BIRNE, DRALL, GLEIS, LISTE, MONTS, NIOPO, OCKER, PIETA, RASUR, SEROW, STOMA, TRITT, ZWEIG

6   ANGORA, EFFILE, ERDUNG, KANTON, LOQUAT, MELTAU, NUDIST, SCHERE, TROTTE, TUTAND

7   ABHOLER, ABKOMME, AKROBAT, ASIATIN, AUSGABE, AUSREDE, BASTION, DIRIGAT, DROSERA, ERLEBEN, ETERNIT, GALEERE, KURGAST, LOBREDE, MONOKEL, MUSAGET, NEROLIN, OKTAGON, RACKETT, SEKTION, STADIUM, TRAINER, TROTZIG

8   AGIOTAGE, GARANTIN, HALSBAND, MAULHELD, MONSIEUR, TARANTEL, TIERWELT

9   BALANDRAN, GIRANDOLA, KURZREISE, LEINWEBER

10   LOHNSTEUER

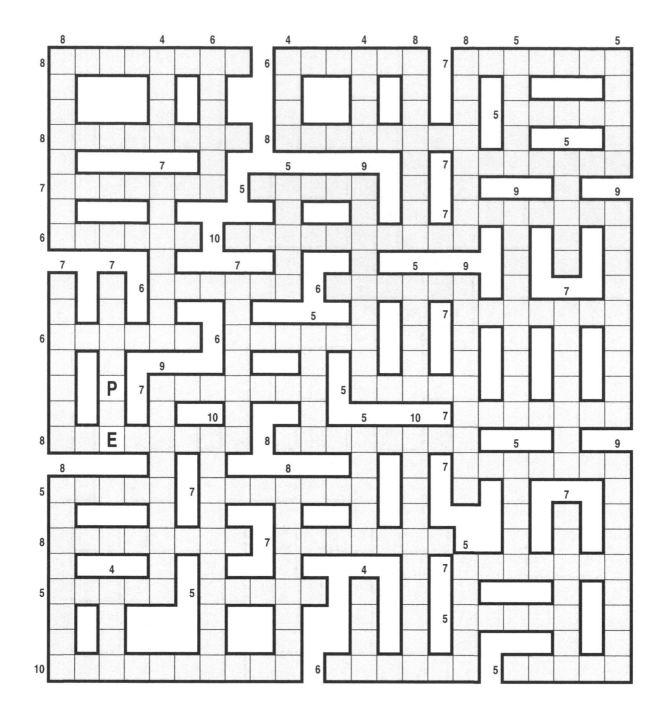

4   AIDE, DEPP, EXIT, HEMD, NOOR

5   BRAHE, DORER, EAGLE, ERNIE, GNEIS, ILSAN, KARPO, LEHNE, LOKAL, MOTEL, NASAT, PFAHL, PUNCH, RISPE, SONNE, TOLLE, UNRUH

6   BENIMM, DRONTE, GARAGE, GETTER, MOLOCH, SCHUTT, TAPETE, TICKET

7   ABFRAGE, ARSENAL, AUSGUSS, AUTOMAT, DRESSUR, FESTTAG, GASWERK, INTIMUS, INTRADA, OUTLINE, POLITUR, REBECCA, RENTNER, SCHIPPE, SENKUNG, STREBEN, TEEGLAS

8   ABSTEIGE, ALTSTADT, ANLIEGER, ENSILAGE, ERFINDER, PAARLAUF, PFIRSICH, SEEBRISE, SEHHILFE, STUNTMAN, TONBODEN

9   GESTALTER, HUSTENTEE, MISSERNTE, PARALLELE, SAUERKOHL, SENATORIN

10   DUNKELHEIT, FEDERNELKE, KAROSSERIE, SERPENTINE

4   DEAL, ELAN, ESSE, MATT

5   ABZUG, ADIEU, ALIAS, AZERI, BREHM, ELITE, ENKEL, ETTER, IRANI, KEHRE, LAICH, LASER, NEFFE, PHASE, SMIDT, SOHLE, STEPP, STORE, TEEEI, WENDE, WESTE, WREDE

6   AKONIT, DOKTOR, EIGELB, ERLASS, KUMMET, STUART, SZENAR, WIPFEL, ZIRKUS

7   ABKUNFT, ANRATEN, ARMATUR, BAHNHOF, BRIGADE, ECHARPE, EHENAME, EXPERTE, GESUMME, LIBELLE, PROFESS, RETORTE, SCHIMPF, TAKELER, TATZEIT, TERRAIN

8   ELFRIEDE, PARTISAN, RELATION, SEGESTES, TORLINIE, ZYLINDER

9   BLAULICHT, HEIZSONNE, RENTNERIN, SARKASMUS, SPALTPILZ, SPIELBEIN, WEINBRAND, WIDERBART

10   DARSTELLER, DINOSAURUS, PAZIFISMUS

11   EGOZENTRIST

4   ARNI, DIKE, ECKE, ELFE, ETUI, IMME, KITA, LUPE, MEHL, OONA, REBE, STOA, USUS, WEIN

5   ALTES, BOXER, ERLAG, FEHDE, FIRMA, FLORA, LUNTE, MASKE, MERLE, METER, NAHUM, PALME, PIRAT, PIROL, SLAWE, SORGE, SPANN, TALAR, TALOS, THATE, TRAGE, TRUNK

6   BEUGER, ENTREE, HEROLD, RALLYE, ROLLER, RUBENS, VORRAT, ZENSUR

7   AFFEREI, BEIWERK, EINBAND, JACKPOT, KNALLER, REINEKE, RELEASE, ROWLING, SCHOLLE, TABERNA, TRIGGER

8   FAHLHEIT, KASPEREI, OKZIDENT, RASTHAUS

9   ANMELDUNG, EXPORTEUR, INJEKTION, KOHLMEISE, PRAHLHANS, REZITATOR, SERINETTE, SONNABEND, TAXAMETER

10   ATTRAKTION, AUSGEDINGE, FANATISMUS, HOTELLERIE, SPEZIALIST

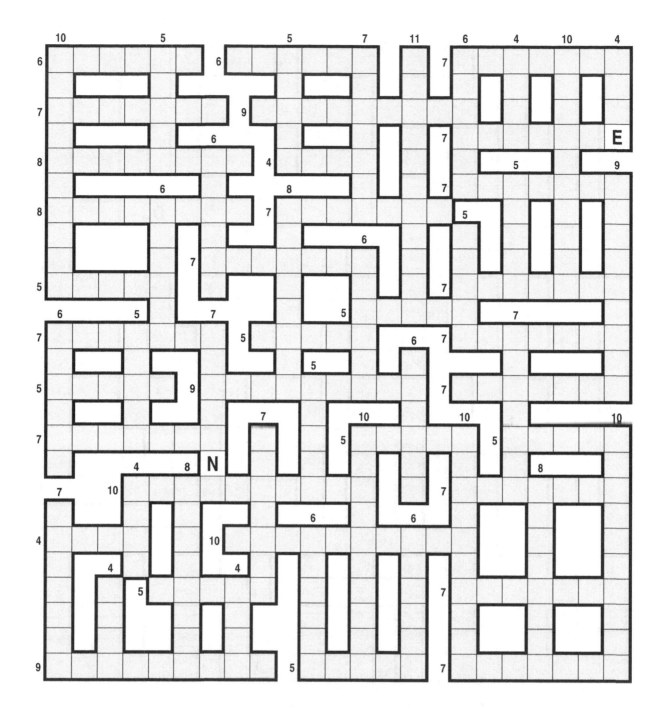

4   AMON, DARG, LADY, LOGO, NAME, TEST, TORI

5   AFRIK, AMANT, ARENA, BERUF, BLATT, DINER, EDLER, LAKEN, NARDE, NEIGE, NUDEL, OMAMA, SPREU, UVULA

6   ASBEST, ERNANI, FLATOW, GEGEND, KLIPPE, LEGION, PIAFFE, SCHWUR, SKALAR, UNFLAT

7   AGRONOM, AUSRITT, AZZURRO, DIDEROT, EDELGAS, EINLASS, ELEFANT, ERGEHEN, FESTUNG, FILIALE, KRACHEN, KREISEL, MANGOLD, NOVELLE, ORDNUNG, PANCAKE, SHIATSU, VORGANG, WERKTAG

8   ADRESSAT, EINFLUSS, EMPATHIE, ENDKAMPF, MAINARDI

9   DEMISSION, HAFERBREI, STAHLHELM, STYLISTIN

10   EIDGENOSSE, ELLENBOGEN, HORAGALLES, KONTINGENT, LIEGESTUHL, LIEGEWAGEN, RIESELFELD

11   VORDERLADER

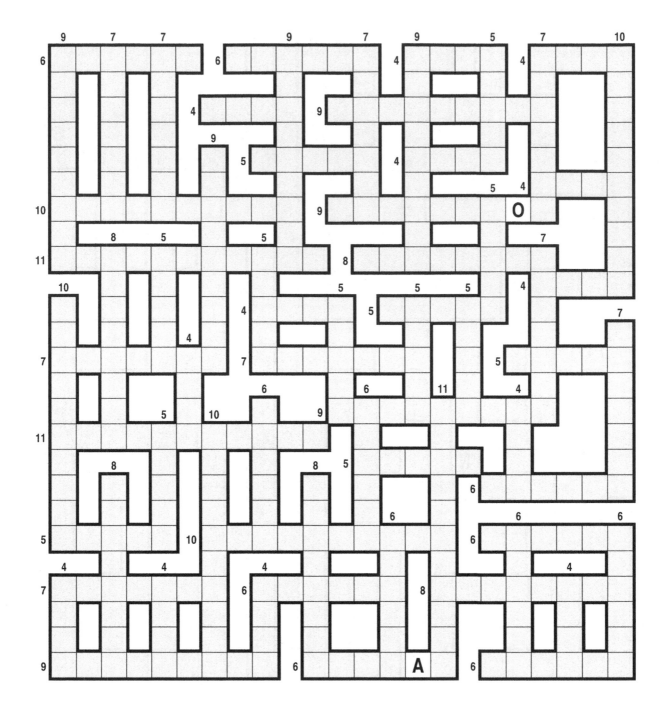

4 ALGE, BETE, BOSS, EBBE, IDEE, KRUG, NEER, OBER, ORFF, RIND, TUBA, ULLR, UNIT

5 CLERC, GRILL, GUAVE, INGOT, LESEN, NASHI, ROBBE, SCOTT, SINAI, STALL, STEEB, STICH, TRASH

6 BERYLL, CALLOT, DOGGER, KLECKS, OBEREA, RASTER, RELAIS, RIGAER, RINGEN, TESTAT, URADEL, WUSSOW

7 AXOLOTL, ELEMENT, ESSECKE, HOLDING, KRAWALL, MINERAL, NEURIES, ROTENON, WEICHEI

8 BELEBUNG, BETRAGEN, KLAMOTTE, SCHULRAT, TATKRAFT

9 BROCKHAUS, DIMENSION, EIERFARBE, KASEMATTE, KONTINENT, SPARTERIE, WEIGERUNG, ZINNKRAUT

10 APHORISMUS, ARZTHELFER, DRAHTROLLE, HANDTASCHE, TITELFIGUR

11 ESSENKEHRER, INTEGRATION, KLEPPERBOOT

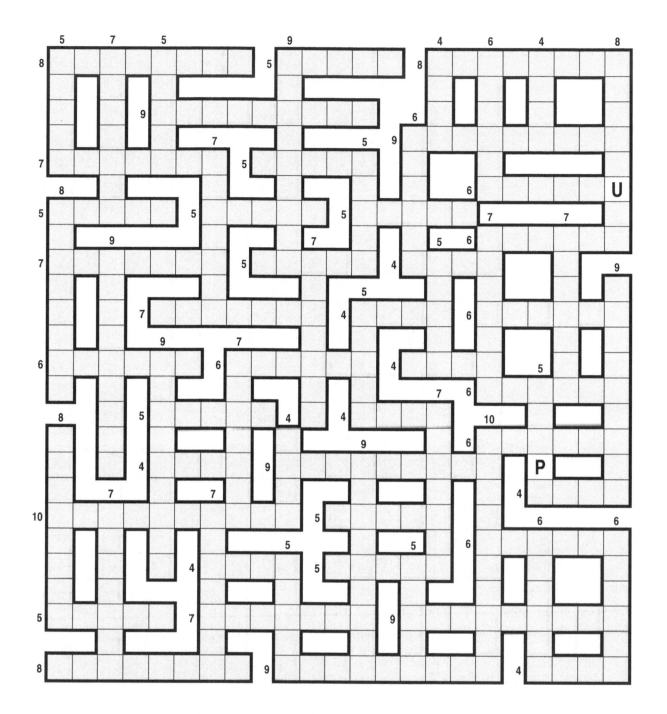

4 ALOE, BERG, BUDE, HANG, HUSO, MUND, OLIV, ROSS, SIRE, THOT, TIER

5 ADEPT, ARKUS, BEZUG, BOARD, DALBE, ERBIN, GLUON, GYROS, HEBEL, KATZE, KERBE, LODDE, MILCH, MULCH, REEDE, RUINE, STUNK, TUNTE

6 ATABEG, DUSCHE, ETALON, LORIOT, POMELO, RASPEL, RASTEN, REZEPT, SPENDE, STATUS, SUDOKU, TURNER

7 AVERAGE, BOBTAIL, EXPONAT, FICTION, GRUNDEL, KANAPEE, RANKETT, SEHERIN, STEMPEL, TIGERIN, TITANIC, TURMUHR, URKUNDE

8 ABSCHLAG, DESIGNER, GABELUNG, KALIWERK, MATHILDE, SANDDORN

9 BERATERIN, GASTSPIEL, GROTEFEND, HERZBLATT, INNENWELT, IRRGLAUBE, KONDENSAT, KONREKTOR, PENTHOUSE, UNORDNUNG

10 INSTANTTEE, SEEELEFANT

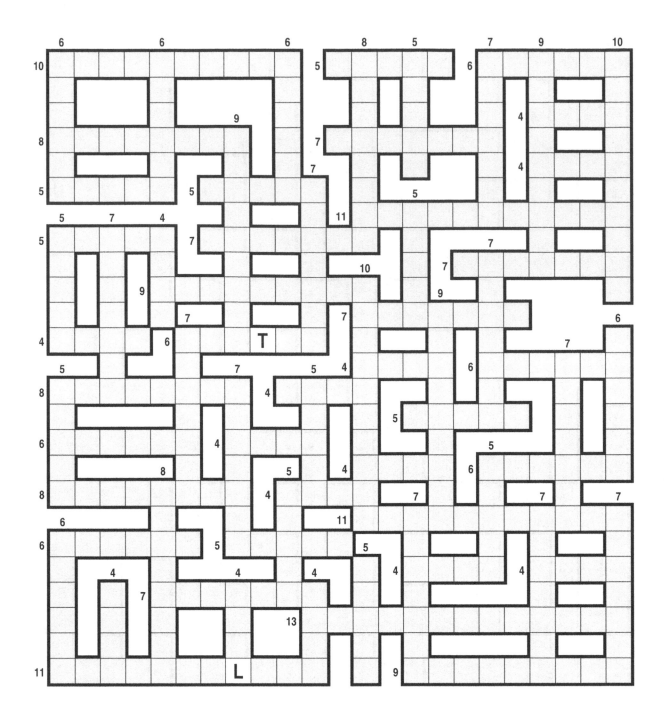

4 AFFE, AKTE, ANIS, DILL, EMSE, ESEL, ETTY, HOSE, MARC, NOTA, SAMT, SPUK, TAND, TURM

5 ARCUS, ASIEN, ATEMI, DUETT, IMKER, KERZE, LEIER, LURCH, SALTA, SKALE, SORTE, TIEFE, ZEBRA, ZWIST

6 ABHANG, AGAMIE, ARBEIT, AUFZUG, COUSIN, FACKEL, KRETER, KUSINE, LETTER, METAXA, STIEGE

7 ABSTAND, ANBRUCH, AUSLESE, BALLAST, BANGNIS, CATCHER, DEKATUR, ISRAELI, LESKIEN, LEUGNER, MIKROBE, NEUGIER, RENTIER, ROHHEIT, STRETTA

8 AUSDAUER, EMISSION, KARABASH, KOPFTUCH, SZENERIE

9 ANTHOCYAN, HASENBROT, REISENDER, THERAPEUT, TIERREICH

10 ATEMSPENDE, FILMKRITIK, HIRSCHFELD

11 DIRNDLKLEID, GEMENGELAGE, STIEFELETTE

13 FERTIGGERICHT

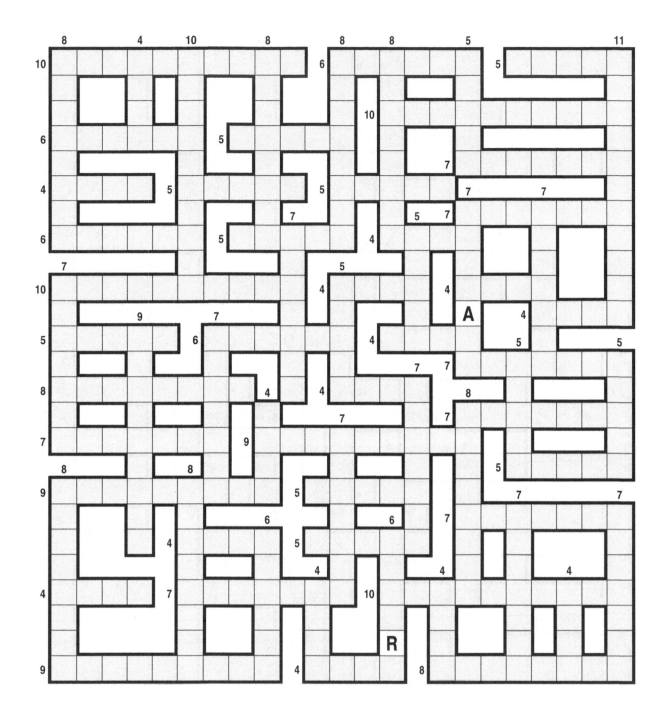

4   ADER, AREA, ARIE, BLAU, BODY, DITO, DUKE, FELL, IGEL, ISAR, LIAS, LIFT, LIST, ROHR, TUPF

5   AHNIN, BOTEL, DATIV, GENRE, IDEAL, IDYLL, ISAAK, KANTE, KOHLE, OBHUT, PILOT, ROLLO, VARUS, WEBER

6   AKZENT, CHEFIN, EINZEL, IMPORT, MELKER, SPRUNG

7   ADELHOF, AMHERST, ANGRIFF, ANTRITT, BEAMTIN, EIFERER, MAKRONE, MEINUNG, MINIVAN, OMELETT, REFRAIN, RONDELL, TATARIN, VORRAUM, VORREDE, ZUMMARA

8   ABONNENT, ALLVATER, BLIZZARD, BLOCKADE, LEHRGELD, MAIFISCH, MATTHIAS, OFENROHR, SANICULA

9   HALTERUNG, MAKULATUR, SCHACHTEL, TONGEBUNG

10   BUTTERDOSE, HEILMITTEL, MISSTRAUEN, PFADFINDER, RENNRODLER

11   VOLLTREFFER

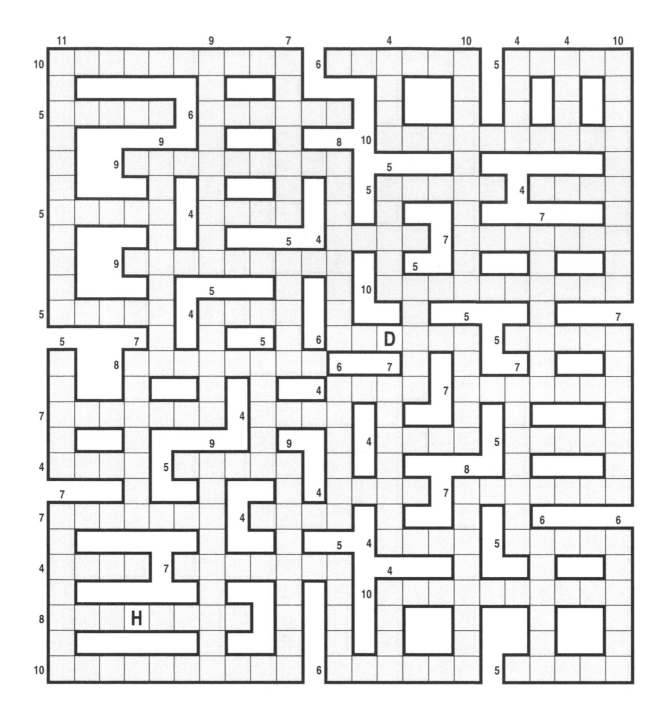

4   ATZE, BLEU, BROT, ERIC, FUGE, HASE, HUHN, LAUB, LORD, MAMI, MIST, PELZ, REDE, SALZ, SKIP, TOKO

5   AGATA, ALBIT, ANKER, ARETE, GROTH, INBUS, INDEN, IWRIT, KALIF, KARRE, LEBEN, LIMIT, MARON, NETTO, RHEMA, SPIEL, TANTE, WEDGE

6   ANGLER, FUNKER, HERBST, HEREIN, ONOSMA, RODENA, ZASPEL

7   ABLESER, ABSEITS, ANFRAGE, AUFTRAG, BASSIST, BRENNEN, DERIVAT, KRIECHE, RAHANAS, REKLAME, SAMPLER, SIMPLUM, SUTTNER

8   AVICENNA, KEIMLING, RECHNUNG, SKIPETAR

9   AGRONOMIN, AUEROCHSE, GESPRENGE, PIFFERARO, POLONAISE, WARENHAUS

10   BUNTPAPIER, FACHSCHULE, GEWINNERIN, LAUTERBACH, NEBENNIERE, PUSTEBLUME, TATENDRANG

11   BESCHATTUNG

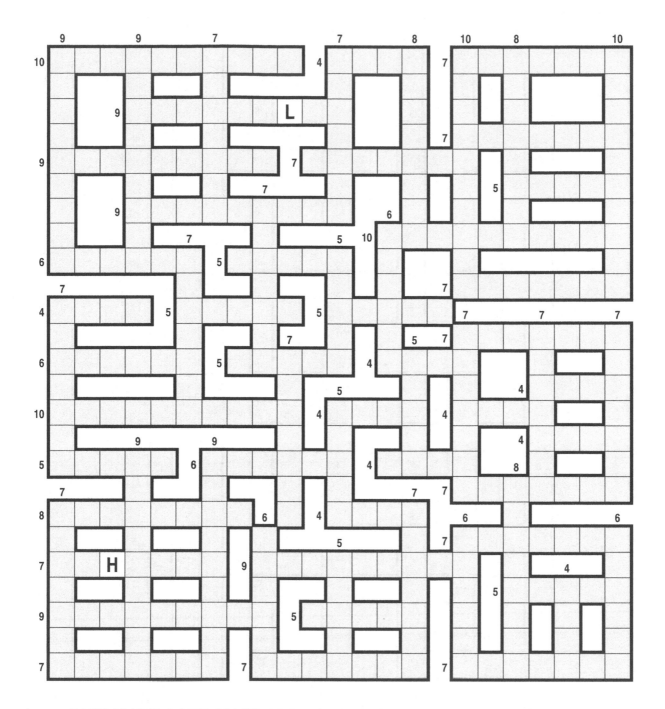

4   DUIT, HARZ, LABE, NASE, PECH, SACK, SOLL, SOLO, TENN, WELK

5   AKTIE, AREAL, BETON, DUMAS, GRAMM, KLOTZ, LEITE, LOGOS, NAGEL, RATER, VESTE, ZIVIL

6   ABRAUM, BEFALL, BEFEHL, DOPPEL, ESSENZ, GARANT, RENNEN

7   ALEOTTI, AUSGUCK, AUSONER, BEITRAG, ENERGIE, ENTENEI, FLANEUR, FLORIST, HEDONIK, KERAMIK, KEUSCHE, KOLLEGE, KONZERT, KORNETT, LESSING, LIMONIT, NOVALIS, SAURIER, SCHLUSS, VERBAND, WERFALL, ZUGLUFT

8   AUFFAHRT, EPIGRAMM, KRITIKER, SEKTGLAS

9   ARRESTANT, DISTICHON, EMSIGKEIT, HAARNADEL, SARABANDE, SCHWESTER, STRAMPLER, TAFELWEIN, UNTERLAGE

10   BREITSEITE, GEWISSHEIT, LESERBRIEF, NICHTSTUER, SONDERFALL

4   ACID, ELCH, ELEA, EPOS, FALZ, GALA, GODE, HOLM, MOAR, PUMA, RAGE, REEP, SHOW, TROG, UREA

5   ALARM, EIDAM, HAFEN, LIEBE, NOEMA, OPTIK, PELLE, PILLE, ROTOR, SALEM, TENOR

6   EINRAD, FERRES, FIRNIS, KAFTAN, LEVADE, STRAFE, TRASSE, URGENZ

7   ANIELLO, ATOMIST, AUSSAGE, ERRATUM, KARDONE, KLINGEL, LIPIZZA, RAVIOLI

8   ANAKONDA, ANRAINER, AUSSTIEG, AUTOBAHN, EHRENAMT, IDEALIST, INCOTERM, KAUFHAUS, MASCHINE, OBERTEIL, REISEREI, RHAPSODE, SCHRIPPE, TARIEREN, TRENNUNG

9   AUSPIZIUM, ERKUNDUNG, GELBBEERE, GENERALES, GURNEMANZ, MANDARINE, NORMALTON, PATIENTIN, SALATKOPF, SONDERZUG, STAMMSITZ, WAHRSAGER

10   EIGENWILLE, KINEMATHEK

11   SOMMERKLEID

4 LADE, RAPS, TIPP

5 DRAMA, ECKER, GREIS, IASON, ICING, LOREN, LUXUS, NACHT, RITZE, ROLLI, SADAT, SEPIE, STIRN, STUBE, TUTOR

6 EXPORT, GESTUS, GRAVIS, HEIRAT, IRRTUM, KRUSTE, SETTER

7 ANPROBE, AUTORIN, BEAMTER, EINFALL, EINTOPF, GEBALGE, KENDOKA, PASSAGE, PELIKAN, POSAUNE, RATHAUS, REFERAT, REIZKER, SCHEIDE, SCHRITT, TELEFON, VEHIKEL, ZUFAHRT

8 EINSTEIN, EINTRITT, FLEURIST, HAARSIEB, IGORLIED, ODYSSEUS, PUMPHOSE, SHOPPING, STRAFTAT, WIRRWARR

9 ANTONIONI, APHRODITE, CHARAKTER, ENTSETZEN, RASTRELLI, SEZESSION, SPINNEREI, TEEBEUTEL, VORSTEHER

10 ASTROLOGIN, FEUEREIFER, REIHENDORF

11 EIGENBEDARF

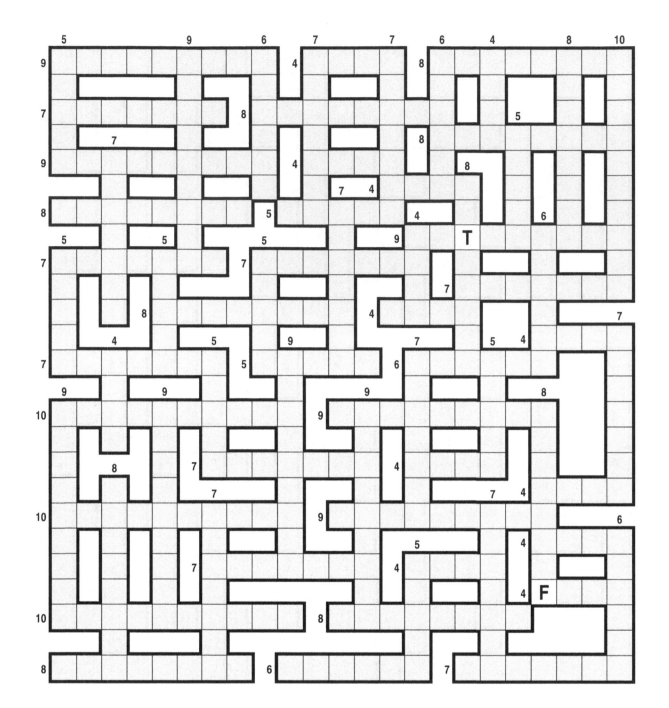

4 ANSA, BLUE, BUCH, EROS, FASE, FLOH, GLAS, IRIS, LEDA, POSE, REIM, TAKT, TANN

5 AGAVE, AMSEL, ASCOT, BORGO, GATTE, KUMYS, NEESE, PISIS, STEIN, STROM

6 FIGARO, KARBON, SCHABE, SIEGER, TRABER, ZUSATZ

7 AVOCADO, AZTEKIN, BALANCE, CIVETTE, DEKURIE, ECKBALL, GEHETZE, LIBUSSA, MOTETTE, PILOTIN, RICHTEN, RUHETAG, SCHLOSS, STROPHE, TOCHTER, TREILLE

8 BADEHOSE, BERGMANN, BRASSEUR, EINGRIFF, GEPRAHLE, KELTERER, KOLUMBUS, MOUSSAKA, NOTABENE, SCHULTER, ZAHNARZT

9 ALTENTEIL, BORDELESE, DIREKTION, DRAHTGLAS, EIGENHEIT, GENERATOR, NEBENSATZ, OBERHITZE, SELCHEREI, TURNHALLE

10 DACHDECKER, SPORTHALLE, SPRUNGTURM, TRETKURBEL

Seite 3

```
BALLABGABE  APFEL  MIKADO
E   U   V   N   S     I S A   B
R T E T S S C STEILPASS  D K E
G H N EIGENNAME       D K E
W E U K C S X I       E U R
I R R L E H R E  K K  S S I INSASSE
E A A       ERGOSTAT C N
STOCK   M     U E T HURRA
E   K RAUCH A T E M     D
K     O RAUMANZUG     E
BASE MADONNA     P   C
U R F I C       PARKHAUS
TATENDRANG  H O Z     C
T   R I I     ABBITTE NOAH
E     P KICK   E E   W
R   E   O HERZ KIRSCHE
FROTTEE IMME  U I C I
L I I   M LESSING HOHN
YACHT SILO L T     E
O S D INKA POLITUR
OFFERTE TENN  N L B A
P I G U GELDSUMME  S
TEICH ERKER  U D O T
I H L U S R P E
KAPELAN RETORTE ANSPORN
```

Seite 4

```
BARBAKANE  AMSEL  GASWERK
R     B P N S     K A
APPLAUS  I I   S K A
S     S O GASTMAHL SPARER
STRAMPLER     D L I
E   R U ALTHORN GEOLOGE
RENEGAT P I I R R H
I   A ECHO N LEDERWESTE
EDELGAS   H D L C I
E   ANRAINER OBSTMUS
ZEICHNEN F I E E
E E N EROS IRRE SOIR
BAUER KAKI   C N R T E
R   I G HIMBEERE
ALTUNG ELEGIE   A P I
U   L E   RATESPIEL
E R TAGEREISE     N N B
S T U F GR BLATTNASE
STEPPE ALOE I E W R
L L R N   AMBE AUSZUG
U T HORTNERIN E R E
S A C   E T NEONLAMPE
TAUSCH TEIGH X U N E
B S A U I N N E
PFERDEAPFEL SEIL GATTIN
```

Seite 5

```
HANDBESEN  KOPPE  QUATSCH
O I E O A A     R D T U
H C U L T F D E R N
E H R R I RITUS GIRL HEFT
I T T S O A P A S S
TEEBEUTEL  N ABSATZ GELD
E A A G U Y M N L
S   KLAPPTISCH S ALTARM
C   E A H C E W N N
HUSAR R H TELEX SINAI
N M A D A T I T T G
ARTIKEL E REIZ SCHRIPPE
P C C LESEN   A O L
SALAM E J I BERGBAU S
E   L A E O C A A
REISELEITER EINBUCHTUNG
A T I I D I H U N A
U K KUBANERIN IDEAL E M
M E R E I S N M
KEGEL A N I JOB POESIE
A E A U A G E I P
P L STELLWAND AUSGLEICH
S R A R L T E O K E
E E E R Z E T O N K E F
LESEREI MATERIAL NESSIE
```

Seite 6

```
RAFFINESSE  PENDLER  LOOK
I L O E U R R H A A
E A T I R I S S A FESAKT
S C FASSY P H I E H
E H I MAKO AKTION RUTE
LESUNG O L R G N D
F E E L EREN LAUFFEUER
E B SAGO I I A A
LAS  GRAF SESAM REGEL
DISKETTE I G N E
A A A   BROTKRUME
HERING T E E O W C
A   E REALISTIN WEISEL
L CROTTA U P O I C A
M A E I S SIELMANN HQ
ABRISS L L O A W U
E   ELEMENT EINREISE
BALDOWER S I I T N
I E E EDEN FLYER G T
KINDEREI   U U E O
O N BERUFUNG EHEFRAU
PEKARI Y E K E E R
E A O K M E TRAINERIN
K L S O I M T N A
EGOISMUS STRIKE LITANEI
```

Seite 7

```
SMOKING  AUSFALL  P PAPAT
E R R   L A H O E E
GENEALOGE KURZREISE R C
E   H T I D L TRICK
TEILNEHMER DORNA I I E
A   R E T KAMEL
AUSTRALIER TOURNEE E
N I E M E L M S T
P N V IMKEREI I A S O
HYMNE A T W R S QUEEN
E E D U ROTTA N
KRAFTWERK TRAKT   MASSE
T A U S U N A
AXOLOTL RESTSUMME RUNDE
Z T G A R D R
EKEL SOFA K L BLUME H S
A S R A A D I A T
FUNK NISTKASTEN A NAIVE
A A O W D L
IMPULS L FENCHELTEE   M
R A E A E H L U I A
N T L ORGEL A W P TALAR
E I U I D N T F U O O
S N F U L C R E N H N
STARTRAMPE MELKER GENRE
```

Seite 8

```
KATAMARAN  PART  BURLESKE
O R K R E I L C
L I U K S T U EICHER
MIST TREPPE LIST   L I
E E S T I OVAL O T Z
MOTZEREI SALBE   GERSTE
O O I L E A G E R
O T KERAMIK RAINE E
E H R U N G SPURWEITE X E
A A O E I S ABTRITT
KASKADEUR KIMONO R E
T E G A L MANDEL
HERBST KALTSTART A I I
A A M U H R PARK
ALLEMANDE RUNE I T M
B N K N M EPIGRAMM
IMPORT STABLAMPE N N
T O I I E ATEM
U SPREU SPEKTRUM G E M I
R T A R ABONNENT
I B T PFUNDNER G V L E
E O G A O S A K I E
N T E C S S T E T I
TREIBEREI ESEL HALSBAND
```

Seite 9

```
ANGELRUTE  LAUTE  AUSFUHR
U R E T R A T E
S A A H A M C R I
SINN DONNERSTAG SCHLOSS
T A C C G O E E A F
A T LESER A L S RIPPE
T I N E A S I L
TIEFE ABLEGER B EINBAND
U D D R ANGEL
N I EISENBAHN M   VATER
GUTER M M Z N M I
E O I J E E IGLU BEZUG
E O A ARSENAL C C R O
RENTNER L R F KRAUTER
N O E OFFENSIVE T R O
T N W N N O I S
EINSCHALER TRAKTAT T U
T N D DATUM
A   AFFE SALTO I A
A U A O N N E V REBUS
STERLING BESCHERUNG U P
R K T T R D A
ELUAT ADREMA LAOTSE I G
D D N L L K A
EIGENHEIT STUHL TATZEIT
```

Seite 10

```
FREUDE  B ROWLING  BENIMM
O   X I U E R A E
KONTRAHENT INSTALLATION
U K N H C E N L G
SEKRET E E H E D ABREDE
R H R E M S T
THERME RAFFINADE TRETER
A U I O N E
G Z STOKER ANGLIST R A
E   E DEON E T A L
SCHLUCHT A F A MALL
Z O E KASIATIN I O
E T U LIRA H D C H
I R R I ABER PILOTIN
TARANTEL C R N
J U K MEISE GIPFEL
VEREHRER E G P P R E
E K O ENTFERNUNG KOMET
ROST S L R T T
F E BUMMEL TRAGWEITE
ANAKONDA E N N S R
S N T L L KOLLEG STROM
STAU H K O U L P A
E T A O N P E U N
RICHTLINIE NIETER KULAN
```

Seite 11

```
FABULIST  FAGOTT  AUSGABE
L K E N I K N
O K N OLEG SICHERHEIT
REVOLTE R S U R
I F BLOCKADE SPENDE
N A L R DEMENTI LENNE
AUFGELD T T E
U I E AFRIKANER NEUES
SAMOWAR L E K T O O
L N B D I Z SEKTGLAS
ACRE ZUHAUSE E E E T
U N W I I N I
FERNSEHER GESTUS POLDER
E E I A K T O O P
ATABEG G HUMUS RADKAPPE
N U I L A N B I
C M G MEILE KANU T BEAT
HEUREKA L E E A
O R N HABEN PFERDEZUCHT
V A A U W E
I H REGELFALL F BARONET
SCOTT O O V T E U
R N R E E E I U
OSTERLICHT GRILL NUDIST
```

Seite 12

```
AUSWAHL  KAUKASIER  SLAWE
N I E E P N N I
O L D R ULMET BATZEN
REAL TERZ I D C W
T E R EBBE STECHKANNE
I P B TEIL KOLUMBUS
TANK PUMA I O E A E
R E URNA KERBE KLAR
SPIELRAUM M A R R
K P M KABEL REKTORAT
INTENTION R N N R
S L G KARPFEN PELLE
PREISGABE N A E C
U N M E UNERNST K
RUHEPOL P I D O E
E ORPHEUS SPRAYER
REISENDER E R T T
E A E GOTT GELENK
SPINNEREI T T O
O O K SCHWAGER PLUMPS
NESTBAU O O A R U N I
A I B B M L AMBITION
N O R A A O U G U
ZINNFIGUR SIGNUM ZIRKUS
```

Seite 13

```
PUSTE  MASCHINE  NARRETEI
O C C A E R B O H B
L H LARVE I O E D O E
SALTA K LEKTION ENTER
T I T K S Q I D N E
E P HAUT UNIKAT FAHRER
RISPE U E O O U
E A T NILGANS LOOPING
ROHRSTOCK L C A E A
Z U E CLAQUEUR R
FLIEHKRAFT O D E N
I L O PUNCH ABHILFE
INSERAT R E E E E L
N L R S REPORTER ARIE
TREIBMITTEL R D N E
G T N S E EXPANSION
LESE SKIZZE H R S
A G A NILPFERD VERS
SCHERBE R K E O O L
O I A R LEHNSTUHL
FROST A STILLUNG STEG
A W S O A A L
R REDEZEIT O A A
B I K R S M A
ERKUNDUNG KETTE HOSTESS
```

Seite 14

```
TERMINUS  RALLYE  AUTOBUS
O T T E T U A P
TRUB STOPP I U B R A
L C C I BRIEFKASTEN
BRAVO SKANDAL E N
D E E TAILS S
AVERSION DEUTO O T V
N C C T E EURO GARAGE
PASCH BEULE M N R E N
A A M P AURA BLUT
SACHLAGE ADEL D M E I
S O G R EPOS MANGEL
U MANOMETER T D
N S U I M AUTOKRAT
GEBURT TALG G M D
A R E INSPIRATION
D U TOASTBROT P E A
O C L A I A E WIRRNIS
STHENO URAN R I N O U
S F G E RESPEKT E V
I L MEERKATZE E U V
E O N F I R N OBOE
RIST PROVIDER E E W N
H O T I I L
OBERKELLNER ALTES ANKER
```

Seite 15

```
WASSERSTOFF  STAR  BESTER
U         E    AE    E EACE
KODE  I    BN   NJ HAHN
RA   BEIN TRANK KOALA   N
ANE       I     ED LIAS
KE LAUBE KOBRA     EET
ASVR    A  S RITTER   E
UNEBENHEIT AUFGABE    E
E   DA   AHF    FLIC
REIZEN KAMERA BETE R K
 NR     EUR    CHARME
HS EXKURS ISMUS HN
HAE   RS     M  A KORB
MALER ANKUNFT MEER E  A
M   HP N I E   PFLOCK
ENDKAMPF GLATTNASE  ME
RUM       EE N    AR
N  NONSENS LAUS F  M
LASSU   OB    T ABRAUM
AT STIL FAHRSTUHL I I
UK     U   RER L BOOK
FRA STEAK LEHM OA R
RER   I   EIE BOLERO
AIC O I KR ST B
DISSONANZ TATKRAFT AUGE
```

Seite 16

```
KLEOPATRA KARAT OPOSSUM
A     H    AAO   O   PI
THRILLER  TDG O    ES
H    O KREIS APOLL ISE
ALTER RR TT    SO   E
R  OI AUSDAUER USBEKE
SANDSTEIN ON A A ON
I   A     DIKTION D F
STELLWERK D   E   NEU
 I S OFENROHR MAURER
EISEN  C RR I I   B
I UDHS SZ TAUENDE BI
E P EBENE UO    NUE
R R     LAGERIST ADEBAR
SPARTERIE  NT MMK
T  RI TACHO ERBANLAGE
INTRO TT LT    TN
C ST   E GENESE FETT
HAARSIEB  RE   UURW
 R BUKETT KARREN C
ZECHE OA RR   RTC
U  PP REUSENMAUL HECK
CONCORDIA DUG    GL
H  DEC EE E    GUE
TASSE N KONGRUENZ METER
```

Seite 17

```
TAKTSTOCK FERKEL FACKEL
A A E    A OIR NA
TT SIEB MULCH NE I T
Z HL   N LD TAPETE
EHERING FEINARBEIT R E
T     AA   SO   N
ZIER HOFRAT FURCHT SE
UIMO   L RERSTER
FISCHER SIERRA ERE E
LH E ADMT AULA
UNKA BESTAND ELEMI M
S   RETI   ABTEIL
SANDGRUBE HOCHOFEN
 A AO   E E ESELEI
TESTAT OSTEREI LR RH
 HET N NB IE
GRILLROST TAKELER K
AA IMO O R FLAGGE
LEINEN AROMA MIE EL
ES   N  OUC ANGABE
N LANDUNG LUTSCHER OO
IA I OOK   SPAN
KOMMENTAR GENESUNG PO
IA KIT   PE
INTEGRATION REUE SALINE
```

Seite 18

```
KLASSIK SCHAFFNER KORAN
N BEAL   HL EA   O
IHGNA OUEH   H
COE AW PIETA PUNCHER
KLLPI    LH H
EEE EINWURF TIEFLADER
BARACKE    EEXP E
EIH   KOMIKER OPAL C
INSHLN NNT INCH
N HERA ARBEIT BETON N
 AFK   I BE
G U CATCHER EINTEILER
ROMANIK EO SS   U
A Z R WOHLSEIN LEDA
TOILETTE T AI   D
I R BLOND IBACH GO
ABRUF AA RR   IR
A F KRAWATTE GEWAFF
SAHELZONE UK MOC
AAL   S ECKBALL OK
NUNTIATUR K   EIMR
D MO ANLIEGER GELEGE
LUNTE LSAL GNTD
E NLUNA ENT I
RABATTE REGENWURM EDIKT
```

Seite 19

```
FORSTHAUS PHASE PEGASUS
LA E I OE AE A
AMS RSR RSK K
CAPE SCHICHT TAXIFAHRER
HI UEE DDA A
DISTANZ SCHNURRE SENKER
RK O IU I U
UNWETTER L ZWINGER K U
CE EEOAG NEEIM
KHAKI PFORR N NE
L E SQUAREDANCE
HEMME BEDACHT N SS I
AAN X H R ASKETIN
BL GLEICHNIS AL B
IEE OE TATARIN L
TIRO TANKEN EC P I
I I   UNKE PARSEC
LANDGRAF SAKE TET K
E   OE R R PANNE R
NUCKEL SAAT ZT   OG
Z ZET A AIAS KOCHER
MESNEREI OLAH E RHA
OOL GL   LAMINARIA O
NLFEI E DFLE
DROMEDAR VORREDE TERMIN
```

Seite 20

```
BEIZVOGEL DEFOE MEDIKUS
RNER   R L MR
EUNV   ANSCHAFFUNG
IK ESSEN   CC N RU
TT M HOCHRAD E U
ET GENREBILD   TT B
NYRA SA PFEIL B BB
GARTEN N SC ROA E
RAK GEDICHT A NENNER
AN UEO N T
DUNG NIRWANA HOCHSCHULE
 EDE C AA U U
WELTREKORD K UMFRIEDUNG
OT RB EBUDD L
LEI URTRIEB STROPHE
FLORISTIN   N
 I GAMSBART ESKOLA
POLEMIK   OD E
AR MUTTERTAG ZITAT
LICHTJAHR O EUE E
IO SD RIES FORSCHER
SEAL PA   SR SY
AU E NOMINATIV IDYLL
DNK G NS O E
ENTGELT ARTIST SENNERIN
```

Seite 21

```
KLECKS GEFOLGE TRIBUNAT
ENCE   IDA AE   E
RA HL M GURTMUFFEL
KAKTEE ESIAT L E
EE LI AUTOR AQUARIUM
REFORMATOR   N N E
S ABSORBER DOCHT
GRAM NABOB AO   PE
RI IAR MIESEPETER
UNDANK LNKA I R
N LA DRAINAGE INPUT
D H JAUCHE S DG E
EAG M BELLEFLEUR
LUFTREIFEN UE EAR
EE LA ASSESSOR ASTRA
KARTEI DH TT I
A E LEIERMANN JAHN
T KARDONE NEB
AA W AUB SCHAUDER
SAURUS UNIEC P
TT CR PATIN HEUPFERD
EA HUMOR   LID
REBELL ODYSSEUS ALIBI
 AAU B SN N
KOKOSPALME GUTES EINZUG
```

Seite 22

```
SCHUBLADE RIESE GOLIATH
PNFI   C   TA
AI FN ROTOR INHABER
NEKTARINE O   LF
N X MAGISTER KRACKE
LIED   EE   N
AEG ANSCHRIFT COUPE
KELLNERIN T L HT
EL UR ATZE EINTRITT
NOTE BAN RN B
HEKTIK IDUNA LAICH
PASS I EEE E
AEN NEWTON ROBINSON
STADTGAS RE   L
SUUI BLASMUSIK WOLLE
ATOM STOA KN N HI
G OS O DEPRESSION
ERGEHEN TURN AE
X EI TEST OBERARM
TIPP KINO RTK A
RE NONO ANGELHAKEN
ANDROID OR AA A
LT I WITZBOLD KNICKS
O IN AS S S
WOHNWAGEN TANTE BLAMAGE
```

Seite 23

```
TORLINIE ATLAS ZEITLAUF
RAU N AOUA AO
AY B UKL TORFMULL
NUSSBAUM BT FAE IO
K AI OBERTEIL O
SHIRT GRISON G E
LR RZ G DESIGNER
A WARTESAAL III AG
PG MN ARONSTAB T
SETZEREI WI   PP E
TT NE BOULEVARD
I LIMONIT LNM
CO SPVS PLANKE
KONTRAST UFIEUE
TEN ASTER LEGION
RZ KUGEL LG A
ATTRIBUT ZIMMERER E
BNUKA AU F
ESSIGGURKE GIRANDOLA
NAL SEB T
VML LATTE SPUR STORE
AEE IESE RL
TIERHEIM R PAGODE ZIVIL
ELREEEEEF
ROBE E STIER LAUFGITTER
```

Seite 24

```
AKZIDENZ ABLAUF EISKREM
UI NN   TA
GRAMM BULGARE ACTION
ER PORE I EAL M
LK BE I MOBILFUNK
DUE ZEUGNIS M EI A
ABSENZ E EEN L
D K BANN STORM EXAMEN
EMLU A RME
LO A SEIDE GUPPY EV
PVCU R NENA
PAPPENHEIMER BASSIST L
LW AHN
EIDOTTER STAPEL VERB O
JIUR NEA LORD
AV N KOFFER GRUND AE
DIT IU D TEAM
EISBERG TREFFEN ARZT
EI EO EOL EPIK
KNOPFKRAUT RENTNERIN B
RNOI RAE B
UR AUFTAKT RAND PA
SACHMET UR I O AMON
TEE BAA VGE
ELTER RUHETAG TAXAMETER
```

Seite 25

```
GREISIN SCHULFACH TROTT
EM EUNE EA R
RK HENRY FL RP U
ME STUDO FIXUM
ABFRAGE RATGEBER EP
N R EE EILBRIEF
IOTA ESTE E TZA
SLIG RUFTON DJANNA
THRONFOLGER A UU U
EE LUNCH WAALS
SAMSTAG IL EANR
CT A CHARAKTER SI
H VERSUCH D EPT
AMT AAKE N KITT
BILANZ KOKS IEE
LA UA HEXE SOUFFLEE
OC EGART UE EE N
NHOO F RENN ESZETT
ENTREE TEFF Z I B
EI LAST ENTNAHME
PERLENKETTE RI H
RIF U ZWIST EIKLAR
IHLE ALTBAU O LU
NBLUUL LUN
TABELLE SEMIRAMIS STING
```

Seite 26

```
SUPERMARKT SLEVOGT BAUM
LL BRE OYE U
AMORTISATION DRAUFSICHT
LM CEII WOR P
AB ANHIEB OKTOGON A R
TEU ELWRR TOKO
S ULMER K TROG B
BGK ORO H REBE
AR ROGER KENNER MAYA
STAMM K ZO N TOPF
TUM MEMOIRE HEIA E E
EKEAA RL AE RAPS
TRAINER N ABTEI ARNI T
TA NL NIKE
PUPILLE GREIS GEIST L
UEINU MME PLUS
T N STAB ANEMONE N
TMK IN NKERN
OMELETT MANEGE AKTE
S OM E D
R SCHUFTEREI ROTBLAU
AAE AT AK
TRAUM UNSTERN YARD A
IM SANS S
E TELETEXT OCKER KONTER
```

Seite 27

```
HERZBLATT DIKTAT PATHOS
O    A     O A   E N I T
FEUERWEHR   P M   S G P R
K   S S   P PLATANE   P O
AUSSCHUSS E   L B I G
M   H N KALEVALA SENECA
MASKE MAP I I A     O
E T C U T A SOUFFLE R O
R U KATER S   C T E F
F     UMSCHLAG RELIEF
BEETHOVEN E   L E K
U E E DAKER WEINGEIST
FLEUR R E A I V E
O O O L K GANOVE AVAL
TELESKOP A Y R E E
O O B ONOSMA BISTER F
XENON T N N A A B O
I O E ZWEIACHSER KAIN
NUSSTORTE D S I N
O   O E TAUCHSIEDER
MODERATOR L I     S I
A R I A INDUKTOR ZEUGIN
M A O T M A A A B O G
B L U A E M R A E N E
ABLESER TEERPAPPE LAGER
```

Seite 28

```
SCHWESTER FRAU KAUFHAUS
P I E E   O S O R   T
ABEL E P H U H L OLLE
N L BALLADE STOLA U E
K I A I I U U K E
OFFSIDE KIES V T BEUGER
R   E E E   L W
BELIEBEN GENERIKUM I E
E E X M U S S
BACKSTUBE HUFEISEN S E
K R E A R T DIEBIN
PLEITE MODUS K A
O F E S L PANSEN
N TATFORM TAKELAGE A A
T I K O I K D D M
EIGELB UNKRAUT T I I E
E E O N E I MORGEN
EHRENLOGE OMELETTE
X H U S A NASSER
EULE SATTLER ORBIT C E
M G G R K H U
PFLAUME ARAGON Z PORTEN
L T A G R E E U O I
A T S O A E P D T O
REZEPTION PFAD STUNTMAN
```

Seite 29

```
MAHLZEIT WAMPUM MAXIMUM
A E I E   E I R   I
G C C D EMIGRANT ERHARDT
DOCK G G   K I K T
E E STROHSACK BRILLE
GIRLANDE E I R L
R O E G L COOK MANNA
IDOL S K A F U R A A L
S Y S ALLEE SAUERKRAUT
CHARMEUR M S O E
H I T S N SPONSOR
ABAKUS ERHELLUNG O I
B E O E A IRONIE
UNSINN F N I N P S G N
E N A I T C I O V Z
EINSPARUNG SHETLANDPONY
R D R S S A S I G M
S E OBSTSAFT BANNER E
A R J K U Z I E E E L U
T LEHRES I RANKE S
Z K I S S D N T S B
BLATT ALTE BIER HACKE
A I R HURRA E E K
N O E E U N D I
KLEINWAGEN P DETEKTIVIN
```

Seite 30

```
AKROBAT STOCK DRAHTKORB
N O O R U O A   U
KOMIK COBOL PERLHUHN L
A E H M A A P M
R A RATESPIEL BUXTEHUDE
ASKET E A E M E N
M M RIFF G FLORA MOST
STEPP A O L N M O P
T AMME LIBUSA ONUS O
ECKER I K E CHEF
P T MANN LESEREI H
PROFI I E E E N U S
E TAND RATER T SCHUTT
REISE O E I O T
V ROLLI UNTER EDITOR
CLERC D D T T M N
N N BEAMTER JECK MINI
GESTE L I I A U E
A M A ADLIGER HELLER
S R P T I I O G G
T O ANTENNE KATHOLIK N
MAGOT N E D O A E
A G H A STAG COMIC SMOG
H E I S T R K C A
LANGEWEILE PENNI ERHALT
```

Seite 31

```
LEBEMANN KLAPPE OKTAGON
I R O N R I A I
E E OBSTMUS O R R S
B T R L S S D S
SATZBALL PESADE SCHEIBE
T A E P U H N
EWALD I BOXEN SPIELBEIN
R I E A I E O U
B ARMUT KERB F T A D
SEGELN D I E T L E
C R RODEL LEBENSMITTEL
HEFT U O A T A
U ABFINDUNG R PACKERIN
BOSS E O D K A M E
F EROS A VALET U R
ALOE L C L M F F A V
C IOLE ANTIKE FACH N
HORN I A E E ALARM
Z PLOT OFFERTE L S I
SIRE S E R I L T S
I LIEN SENAT COLLEGA
GRAF G S H S S P E
U A WEITSICHT ABSPIEL
R L E E O O
DARLEHEN KANTON KNATSCH
```

Seite 32

```
PAZIFISMUS ROSS SEEUFER
O C C E T E E
LASKA HUND N A R I S
A O O NOTDIENST S W
REST ENDLAUF U N O W
H H K R A SOFA NEFFE
UNISONO S H D N N
N T S E RANGIERER N
DEPUTATION E A N
D R R HEIM TAUFE
MUMIE TRACK U O A R
E U A N GERMANIUM E
LEHMBAU GAZE I T O M
D L W PRITT SANDHAI
UNITA ECHO M R E T
N S R K A HAUER RHEA
GASWERK BORN H N G
M P ELEA EXPERTE
KICK VESTE M B B E
O O I STICKER LIGA
M HAUSTIER N S B
P O B L E BALGE PU
OBER CASTING S T O R U
S T H O C E G E T
TELEFONIST LAUB REHKITZ
```

Seite 33

```
KLEINKRIEG G SPIELPLATZ
O R R R U I B O U E
M S DENKZETTEL A N C U
P T B E T KUNDGEBUNG
ADER STERN A S S B
S A R P SONDERFALL
STADT ARGUMENT A L A O
I I I R A G L LIST
MAUERFUCHS C D E E K T
A R N E H TALAR EHRE
T G G GIGANT M R
REGUNG T O I A I
O M RUSSELL RANDLEISTE
S M O O O A O R
EMSIUM UMZUG S C C BORD
A A A O K H U I
AUTORIN LIDSTIFT BISSEN
U R I I L A E
FERNREISE ERMESSEN AZUR
E E R B H E D R
FLIEGE S FEIER Q T E
L L C S E U M I S
AIDE ABHANG ERLE A KURS
P S A U I N M E I
SIGNET FIKTION ZWILLING
```

Seite 34

```
AUSPUTZER FRON PARTISAN
U I E U A A I T E
G G NUNG A A N E R U
E TECHNIKER BEINARBEIT
N R A N B U R
B P I H ATTRAKTION U A
L I U M U E A N N L
I MEMME TRIGGER DRAGEE
CAMP E O I
K FASZIKEL LUFTPOST
P O N N O U
T STEILPASS I SOLISTIN
R C I T T C R T
UFER IMME CAPEK H
P E A R A STEIGER
PREISLAGE STRIPPE R H
S H S L E BONZE
GARE N AUTOATLAS I M
E Z E U C L TONBAND
FREILAND SCHABE R O
L E P T ENERGIE
EGILL RAKETE EFEU I S
C O U A A S ASIAT
H B E R S E S S I
TACHOMETER LABSAL BETEN
```

Seite 35

```
BAUKUNST SCHULE SEEGANG
E R P T E X C U E
LURE I I I I I M I D
C MAHNUNG ROLLLADEN U
H P N M A L E D
EMMER ERHALTER GELIEBTE
E E A I I E L
TANREK U EDELGAS L G
R G A C R E E UHLAND
A E BREHM E L L R R
J E N BANGNIS U U F O
K A D D M KASSE P U N
E E U N NORDPOL PFLUG
B FORMAT O R L V G
E BREI LAUBBAUM
SCHERE OLPE L O R E
A I R I I L KLANG ERPEL
MIST DAUSS B N K
R A B Z DODO SZENEREI
ADAGIO OTTO H P E O I
T C D L ROHRFEDER D M
T H E A F E C E E E
ENTERN VORFAHR KOHINOOR
```

Seite 36

```
EGOISMUS WESENSZUG KITZ
R E C A T L A U
KAPTUR H BEHEBER ANLASS
E GALLE I S I A
NICHTE U VIOLINE NEON
N U L S K I U R K E
T G ESSE TUPFER BATIK
NOBODY L R E R
I R M CHIRURG MADAME
SCHLAGLOCH N R E E I I
K I O E BESTSELLER
K SCHRIFT A S S E
U O DURRA ESPRIT
RAUMFLUG R I R B A A
H L R U ANSEGELN A X
ENTHUSIASMUS P A D U
I C B E SEKTGLAS
MILCH ABBASIE E O
E E M NERVATUR C O
SCHEFFEL A G W L T T O
R A E T E E LESESAAL
ABGANG IDIOM R I R L
A E O I AUFFAHRT M I
L L T I S N E N I E
LADY TAUCHEN R ZEICHNER
```

Seite 37

```
ELLBOGEN TRAKT OPERETTE
T E E H A A A E I
ANGSTHASE L R S D L N
B B E MELONE LIZENZ
L O BIBEL Y C Z P E
I M M I S KINSKI H L
EINBAND MOTTO E O H
R I I A I REGENRINNE
U B ISPAN KITA S E I
N U E D P S NUGAT
GASHAHN ZONE HABE
D I A A CHASSIS
KEIMZELLE ULME K N
I A E S LEDE SPREU
RUNDE R TUPF E O I
R E S I KONZERTINA
USUR MARSSONDE A A G T
N N E E I I REFERENZ
GARANT GRASS L L
A O S KOMMISSION
TUNIKA STUBE I O E S A
R K L O O S V M E T
I ERLEBEN ODYSSEE M T R
T T S I N E N E T O
TATAMI ANWESEN SIELMANN
```

Seite 38

```
KROKODIL MAKRONE MUSKEL
L I E U O U L A I O
AMEN K S P L E S T H
P E U T SPIONIN TSETSE
R MERCI T K E
ORCA I GIPS DOMINO FLIP
T E K A E E R A
H H E LOTSE R BALLON
E F I M S R U A Z
PARKZEIT LABE AQUAVIT E
F A W P I X L I X E E
O U A P E TELL BOBTAIL
D L N R A A T R I
TATENDRANG AUSWAHL ERIC
E R U I I T H I I R
RUNE ESSLUST A ANTRITT
R I S S C P E L L A U
I R H R BUTTERDOSE
M M VANILLE S T S U L
PAPAT L N T S F K
U R GIRL EGGEN ABHILFE
L K E E E I D N
SCOTT PORTER NEST ORGEL
```

Seite 39

```
B I E R H E F E  D A K A P O  K L A M M E R
O     R A   I   U   G     R   E   I     E
C E S L   N   I W   W       M A R C
K U C H E N M E H L  M O D E F A R B E
B       K   O   L           T
I N S E L G R U P P E  S O L A R I U M   S
E   I   E   I   U           N   A D E L
R   N E T  N O T A  A N Z U G T     L A G
    G   R I K   E   A R E   E         E
B A U W E R K  T H E R M I K  O  E T A G E
E   L   I     N     O   I   P       E
R   A   N   F  S T A B L A M P E         G
G U R K E N S A L A T  R   I   U       E
M       I E O  A N G E R  M         M
A     S   C   N   T E U  F   L A W I N E
N P H   K O I   T       E             U
N A I V E  B E W U N D E R E R  B E M B E L
  N   N   L   K   U A   C       E
F O N T A N E  S P A T E N  N A C H W E I S
R A   U I C U D T   S S     I     L
I   K T     H  F A R B E  E  E S R O M
E E O Z L   S O D         A           A
S T R O M E  O D A L  G O A L G E T T E R
    A L   S   A E   E             R
A P P E T I T  S E N K U N G  R E V O L T E
```

Seite 40

```
S A L A T  W A H R S A G E R  K L A M P F E
C   U O   A     E   A V O N       N
H A T T R I C K  N I K O L A U S  E M T
O   M   H   K   L   S   N A S     A
M   A  E M P I R I E  I   I U D E     S
B O T E L  N   N     S S  E L E M E N T
U   I M   G  S T A T U R  E   E       Z
R   R  A G R O N O M  R E F R A I N
K O D E  K B M   E     R U S
    R A S T E R  E L U A T  V O S S   H
D O R F C  I   A   R E S S     E     N
I     A  H E C K E  D E M O K R A T  C N
A B E R  I   A   I E D   H D     H D
N     B E R N S T E I N  S P E I S E S A A L
A M B E   A       A     S E R U
      S A U M  B  M I L A N D     F
P I L S   A A   E S   H F O     R
O   P E A K  R O L L E R  S T A U  E R
S   I   N S A         M A S S E
T   E  D A R C  N O V E L L E  M T L
F O U L  R H C   A I E M L       H
A   U D E L  A R E N A  I  F I L I A L E
C   H W   L       N   E H
H A I R  S T A L L  R I G A E R  M A L E R
```

Seite 41

```
P A T I E N T  B R O I L E R  B E R A T E R
E   N   E A   A     O A   N   O
R   F  U L D  B O R D S T E I N
S A M O W A R  Z U  E B A   I D
O   A   E A  N A R D E  B E G O N I E
O N A  H A B S U C H T       E P L
A   R   E N D S P U R T  E S E L
L I S T E  B A K E R  A  I   P
    A   R L C  N A C H S P I E L
G E B I L D E  O A H T   O O E
E   E   R K  G A S P E D A L  F L U R
S P A T  A D L I G E  T   Z D
T   W F   U  H A G E S T O L Z
A U G E N D E C K E L  B O S S
L   E   R R  O L E A R I U S  F E T T
T O R D A L K  U V  T T   I
      E M  E R B A N L A G E     M
P U S T E B L U M E  O E L
L   A   H V A R  L I G A T U R
E I N B A U M  A O R I E N
S   L  E L  R E D E N  M O N T E U R
S E  D O S I S       A I A
N E S T B A U  A R R O G A N Z  D U I T
E   T S   T     T   D O E
R E G E L F A L L  Z E B R A  E D I T I O N
```

Seite 42

```
S P O R T A N G L E R  R E N Z  S A F A R I
O   B U   E E   I O O L       M
N   A R L  Z C L F A P     O
Y   H R N  P H   O H     L     R
B E T T  K  K A N T A L A  A D R E S S A T
O Y     E     U S   I E
O Y   F O R M U L A R  L E G U A N   E U
    E O N     R  K E L L E R
K A P I T U L A N T  K E R Z E   O
I   L L H   E A S  W I R T
E T T E R  E N D E  S N  T U C H   H
N         S O K   H E N T E
A N I M U S  S T E I N M E T Z  E S R
P   A   R N   W I  P O S E
F U R N I E R  E I S T O R T E  D L S
E   K I   I A E  T E E K A N N E
L E S E  S A L B E  G N   N
L   E E   D  A U S D A U E R
R O W L I N G  R O S E W E I N  C D O
U   S I R Z F H E G E L
B O D Y  T R A N C H E  V R E   L
E   S E B   M O  A P R I K O S E
N   O I R   I U G B T
S E R P E N T I N E  T A S S E  E X P O R T
```

Seite 43

```
E R D G A S  U H R G L A S  K R I T I K E R
K   E   T O R  E A E         E
E S E S  A  C A S T  L E D E R
L E I T L I N I E  N O A H  A E E A
  G   N  A S  N E F F  P T
P A N K O W  F R E T T  E T   A O H
F   E   O   C U Z A  X E N I A
E H R E N G A S T  P I E K A   U
N S S   W R  K A K A  E S
N I S C H E  B E T R I E B   B
I   H   I S  A U S D E H N U N G
G A B E  A B E N D     O   R
    O   B  T I S C H L A M P E
A N I S  G L A T T N A S E   E Y
T   T  O A  L R  E R D R E I C H
E H E R I N G  U L I  A I  O
M   I  N  S T R E B E N  P  N A N D U
    K  E C T   T       N
N E B E L  S C H R I T T  S T E L L W A N D
I E A E  E O C I S   S
L D  T U R M B A U  U  H O S T E S S  W
G U E   O L R A     S A  E
A I R   D  G A R N E L E  C O U P O N
N N N E  A E O H A D
S I E G E R  M A R O N E  M I N I V A N  E
```

Seite 44

```
B I N N E N Z O L L  G E D U L D  S P A T Z
A   E   I U   O U   I   O   O U
R E K L A M E S  C K K S   S
O   L  G O T T  K  T O R T E L E T T E
M I K A N I E   I E U U   U R
E   E A  E I N F L U S S  M A T R O N E
T A T K R A F T  K  R P G G
E   Z  U  T A K T  E R B E  F O R T
R I N N E  L I K I   I Z  N R E
      I   O  E T I K E T T E
B E F U N D  M E N T O R  E   U
R R   A A   E   S U
U A  Z A U N L A T T E   B L
C   N  P I Z I  P R A H L H A N S
K Y K L O P  L A K E  N O O O   E
M A L L  B I L D  L E I M E N
A T  W I D E R H A L L  I   E O
N U K   R I  S P A R K O N T O
N E R U D A  P O L O  C  A   T T
    N F  M  K O P P E L  G A N S
S   S T R A F T A T   A Y G
U   P R U  M A U S  S I R E N E
M O N S I E U R  K A N U B   I E  M
P   E   E U R A  P E I I
F L U G L E H R E R  D R U C K  P A P I E R
```

Seite 45

```
R E G A T T A  H A A R S I E B  A N F A N G
U D  G O B   E E K E   E   N
H A S E N M A U L  I   R  G I N
M   P   M Z  T E N N  B U R L E S K E
S A M T   I L U  A L  I A A
U     M E T E O R  S T E I N  G A B E L
C E N T  A  I   U N E   O O
H   I  I R  M A U R E R  G A B E L U N G
T E L E M A R K   P   E   I
    F I   R A U M F A H R T  S E K T E
K A T E  S A F E  O R  H L
L   L  L S  R  K R E U Z P O L K A
A B D R I F T  T E I N  L G U
U   I  A A  E S P E  I N N E R E S
S A F T  K R A N  L H U   L
E   U   Z A H L  A T E M S P E N D E
L E S S I N G   O N   I I S
    A  G A R A N T I N  S T A N Z E
L A C K I E R E R  U O   C
U   U D I  S C H M A C H  H E C H T
M I K R O B E  M   H     A
I   T  R  B R O C K H A U S  K U P O N
E M B A R G O  A M  A R   U E E
R   X  B R A  R C   U E E
E I G E N H E I T  R I T Z  H E L F E R I N
```

Seite 46

```
K A S E M A T T E  C R O T T A  M  M A A T
A K   B   B  R K  I U A     A
N   I  F   E O  E  T A S T S I N N
T O P S T A R  N A R R E T E I  S K  K
H   P H  P H   A E I E S   K  K
A N N A  R E B O U N D  U  N O T T
R   G T  L  E T  K O N S E R V E
I   A S  Z  S U D O K U       L
D E S T I L L E   C   R N   L
E A   A  C O U V E R T  S C H N E I D E
  H   U H O R  A A I
S E E H A F E N  F R A G E  B L  N A H T
C L   U A  H E C   I M  W R
H Z  S I T T E  A N A K O N D A  A L P E
I O W O  B B N   N   A A P
W U N D E R K N A B E  B U M E R A N G
A E   I   N R N M  E R V E
    S O U L  W  G U T E S   E
A O   O O C   E N K   R
B E R Y L L  H I R S C H  G E L D  P R E
S   P I R K   E S E L E I
T H  M A X I  S Y M P T O M  M U  F
A E O  N O A I A  E Z  U
N U N  D N T D M N   E
D I S K E T T E  G A T T E  A L T E R U N G
```

Seite 47

```
S T O P P L I C H T  G E N E S E  E D I K T
C   A G O S   S E E O
H R E  N S   S  S K I P P E R
W E N F A L L  L A M B A D A  E U T
U   D R  Y  N O R M A T I V E
L E N N E  S A T T E   S   I I
S   L  B  P R O T Z E R E I
T R O P F  K A U K A S I E R   R E
    R U A  S U  S P I T Z E R
S I E G E R I N  L  K C I E
P   U  S  E U N U C H E  E  R U T E
R   D  T R I   T   T L
A T A B E G  E T I K E T T  P A A R L A U F
Y   E R I O  A U A  E
E   T  A N N A H M E  I  P F U N D N E R
R O S T  V  R B  C C
    L I  B  I N H A B E R  H U M U S
F   A N S C H E I N
O   D  I  E I G E N T U M  D O S E
R A G E  B O O T   E O   B M
M   O  R U H E P A U S E  S A
E G  V I B R A T O  I  S A T N
R A  L  H G  L A U T  N E W T O N
E S  E  O E F  E I A
I N T E G R A T I O N  E L E R  F L A G G E
```

Seite 48

```
C A R  W A S C H S A L O N  E I E R K O R B
  I E A   E A A D U R A       L
B E S T E N  S D S E S I   L
A   T  K R A W A T T E  H A N D T A S C H E
U     T E   M     E
U   I  B R O T K R U M E  M I S C H P U L T
R E N T E R   A O  H R R
N   T  I L A T  N A N N I N I  I N K A
H R I U  R N   M
O P O S S U M  B A U E N  T O P O M E T E R
F     A   I Q E  K R O
    R O T T O N  U N E R N S T  A T O M
J A H N   E I   A T A
M     L O N G D R I N K  F E R N S E H E N
E I S E   I I   L   I
S   L S N  N E U N T E L  F E T Z E N
    S  K R U G   D I A O
P A I   H O O D  U R Z E I T  U
L U N T E   A B  K   E E A
A   N O E M  E L F T E L  U R T R I E B
N L   L R   I   M S
C A  D I E N S T A G  Z E R T I F I K A T
K R U M E  G E O S  N R I
    T P  I I L C  U O E
S E E  P R E S S L U F T  H A U S A N Z U G
```

Seite 49

```
S P E K T R U M  B E W E I S  P R A H L E R
E L   A A I  L   A A
N   L T  K E L L N E R I N  B A S T E I
S P E N D E  R L  P  A A I
A   R O  E L A N  P S E U D O N Y M
S U B J E K T  T O E   A
    O S  A B T E I L U N G  K A M M E R
G X  S P U R  P D A Z   A
A R U  S A G O  E N K L A V E   S
T R I B U N E  D   E R  U
T N  C N  D E L L E  E R F I N D E R
U G  T H A I   E   R  I
N     E  K A M M  K O P E K E  U K A S
G E W I R R   U   T   O
E     A R T E R I E  S P E R L I N G
V E R L U S T  A  O  P   O
K   I  I N U K  A T H E N E R
M A T H I L D E  A   U   R
    U  R U N D F A H R T  E R T R A G
R I T T E R  K O  N I R   E
A E  S U M  B  K E L L N E R
T L K  U N R A T  B U  T   R
G   I D U   I C U E R   B  F L O R
E   M E I   C U E R  A N D R O I D
B A L D O W E R  E I C H E R  A N D R O I D
```

Seite 50

```
E X P E R T I N  Z Y K L O P  T A T A R I N
I   I R   O U R   O O
N   S E S A M  T E X T  D O  E N T E R
S A A L  D     O O E L I T T E
C   A S T E R  K A S S E R O L L E  A F
H U U   O C D   R   F
L A U F G I T T E R  H  H O C H Z E I T E R
A   E  B W  S U I R E N
G R U B B E R  S  P A S T E  S S  A
    E  R L N H  T B U D
B O T I N  A N O R A K  E C K E  M N
A   S  R W     N A S O B E M
H U P E R E I  E L E F A N T  T I I
    I  U N L   T E N L K
S P A N T  M I E T E  T A N N E N N A D E L
T   R  R   I   R I   O
T E  I N H A B E R I N  E I S E N B A R T
    T R   R R   T G R Z
G O L D B A R R E N  L E N Z  I M
    O O  E R U  R R S U
P   S  E H R E N T A G  K O N D O L E N Z
F S S K   R   S S E
A M B I T I O N  S E I T E N H I E B S  R E
H E S   S   O F  E H
L I B R E T T O  M O M E N T  L O R E L E I
```

Seite 51

```
TAGESKARTE  GEBET  LABUNG
E   P    R  A  O A      R    R
E   I    Z  N     L R       WAAGE
BOYKOTT KEILHOSE  N N   RINGOFEN
L   R   R  N  N        A      D
ATUM ALAT   N   T E D A
T  U M   U ERSTER BINKEL
 C       C    U V HEINE LESEN
AMPHORE     A W  D  A C E
P   A  W LEINWEBER  H U
O   EINFALL    R     D  O E
S  L  R      LAIE L GLAS
TRALOW DECK      I  A  L
R  U A A  RAHM STURHEIT
O F HYMNE  I  A S  F     I
P  T   A  E LUPE REIZEN   I
HEREIN KLIC L G  A     T
A   O  I   HIOB ERDMIETE
ANGESTELLTE     U L A
R   I  N O  KORAN EMPORE
KINN ANTRAG   M     B R T
A   Z G I         DEMENTI K Z
D  U E O   S      L U E
ENTGELT TIERWELT KAPSEL
```

Seite 52

```
FEINARBEIT STIER  MENSCH
A T L U Y A  I A E A
H  E T D  B N KITT WEIB
RUMKUGEL BRAK O  C A E
G   N E K  ENNS HORTEN
A S      GASTGEBER  O  O
S   S Z R     REKTORAT
TESTAT TUBE F  G  R  R
 C  R     U REGENANLAGE
K H POLARENTER  M U
A U L U I Y E OPTIMUM
SALOMO GANG  T I U    O
C D G M  ANSTALT    N O
H N LEBENSWEG   I L     O
N N E     NIKE FUNKE
IRRE CATERING    A A L
T      S INVENTAR L
ZWEIG EBENE  E  E M
R  O  O  S T  L EREN
ARKTIKER FEUERWEHR
D  F K I N  R M SAAT
A   FEUERZEUG A E F
MILE I  A R NEKTARINE
O   C B A I E A T
VORSCHULE INVENTUR UVIT
```

Seite 53

```
ALBATROS MEINUNG SETTER
B E A  U I U R  H A
G Z R  P  TROTZKOPF OVID
E A Z R L E L T     I O
SCHLAFWAGEN NEULING   I
A L N      I S E I L
N U   JAGD GRUND C E
D N T U    A R K KING
TAGEREISE JOURNALIST  I
E A G  P    T  I  E
RODENA ANSAGE STATIV
A  B B L   E  O ORAL
WANDTAFEL KANDIS L R I
A I I   M O E L REIS
OSIRIS TELEFON LIEGE  N
D S R N A    I H L E
SPEISEKARTE AUFGEBOT
T A U I   Y O ELFE
A A GELB EISKREM U R  N
U U A S E D I N L T
BESENBINDER ANRATEN
T L  S M V S V TARA
U A GOYA AFFIX I A U H
C U F N E U R B M
HAFENAMT NATRIUM DRACHE
```

Seite 54

```
SCHENKUNG SHOW PULSZAHL
C I A A U E A E      B
H D T B L R P N     E
L G ABBITTE KLARINETTE
APPELL  A  A E E O W
P N Y USANZ BASS R I O H
O S A A A O  L L
HAMSTER L TWOSTEP PFEIL
U S    S  T S A  T
TAFEL GRASSODE KLAMOTTE
R  O T I   U E G O Z
PUDER AEROBIC SCHAR  O
O K N R K E K A Z
PINZETTE MODE G I SENSE
O  O   N R D  L N
WAHLLOKAL PASSAGIER E T
I A U N E I R
TRETKURBEL SARAZENE H I
O E O O S T L FLECK
REGRESS LUNCH E O
F  S I  H  Q KICKS
MIESEPETER LESEBUCH O L A
U A R N U N E M U A W
L M I N S G N E N W
LAGERFEUER SCHERZ RITZE
```

Seite 55

```
KERNKRAFT PERGOLA BOXER
E U R O A T R E
SEHER M LANDUNG KRACHEN
S O P A P A  G I I T
HAFER T PENSION LAKEN
E A T U H E   P S L E
I I L FRAU GEHIRN ZEPTER
TELEX  S A L  I  T
G  Z AUSFALL DRESSUR
SCHARNIER U S T R A
O R V  S KETZEREI T
PONTIFIKAT  E C L E
H   N BETER KNALLER
OFFSIDE M O E U  I
K H M U REKORDER AMON
LEBENSALTER O E I O O
E N N I  M TOASTBROT
STAG ALINEA M T P
L E BRASSICA CHIP
BERGBAU I G N E N O
A  R R T E D KAPITEL B
RISPE ETHOS A T O L
S T C A  ATTRIBUT IGLU
C A H I N U O  I E
HERSTELLUNG R NEGLIGE S
```

Seite 56

```
BUKETT BAOBAB PORTFOLIO
A   R O E L L
KARTEIKARTE AUTOR RUBEL
T  N N  E N  N
PLOT RADSTAND MOHNBLUME
A F  T  T B  K L
T F ESTE PRESTIGE ISLAM
C E T I U O N K C A
HELLER GRAF I ASKETIN
W  U I U L L R O A
O P FERCH TEEBEUTEL C G
R A M E    H  H E
KANAPEE TERRAIN SENATOR
C A A E G S A E
K A THING I E T R PARZE
L K E   K SKUNK  N
ADERLASS MINI H AUSGUCK
P  L C C L L S C
P H ARTHOIS A  M HEBEL
B A O E U O J U W
E BOAT R ODYSSEUS ELTER
T G B C H T T L
TRIO LEHRGANG SCHILLING
E A E U E E A
VORBAU NUSSTORTE GRUSEL
```

Seite 57

```
PATINA HAST PLUS VISIER
Y E L A A A T N  A
R E TARIEREN FRIKASSEE
ALTARM T T T O T T  E
M A A MAIS ONUS ABFALL
I S ONZA C F S N N
D S N  HEFETEIG EZIO
ELEN FINALE E S S  R D
E E V     LAUSITZER D
MONATSKARTE I T A E
A T T I R ATLAS LADEN
RITT ABEL D D U I I
I  E K  BALL DUMMKOPF
MAGNETKARTE E T A  F
B T  A E REBELLIN  H D
UMKI SIEB R R  L D
L O A B ETALON ABREDE
ABENDKLEID  A E O
I  E I  BERG FRAXINUS
KANTON MOLE O F R  A
L R E  A A BLUE SCHWUR
E E FAHRT M O O  E A
C I V R TITI LANDGRAF
K S U O  I  E A N
STERNSINGEN ROBE LERNEN
```

Seite 58

```
BEIFALL PANTINE LEOPARD
L L L  L A O R   R
AUTORIN UROLOGE K DALBE
T R  N  I A    I E
T A KARDONE BALLABGABE
T O E I U E R   E
REISENDER S SALEM RUDOW
A G Z R S P N G  E
P E E B BELEG ATZE B T
TURN RAABE E  R L T
U  T R GARDE TAKELAGE
SPEER MA  U A M
R O EMSIGKEIT L MANN
SCHUPPEN  A E D G
T A A  BEET V VERBENA
O R ALOE R A E R E B
L D M RIED METAXA BENZ
ATTEST SN A E E  U
D A NEER RAUMANZUG
M A OGOTE A A R
I B R ZORN NONAN DRALL
TURNFEST O O B E R I
T I I E TAFELWEIN C T
A S T I A E  N U Z
GESETZBLATT HANG NESSIE
```

Seite 59

```
KOPERNIKUS ASIEN DIPLOM
A U E I C K N E  D I A
L L B N H A S U E F R
TELLER E N D A B GESTIK
W  I E S A   E
ENGAGEMENT M SAUERKRAUT
L A   GEIGE  E
LEDERWESTE K  ZIMMERER
E A A R E W U P P I
S Q ARCO FRONTALE  I
S  BESTECK C L E
PAKO C H M HAUSARBEIT
O H HYPOTHESE S L U U
N L L N I I S AKTION
SEHERIN SCHNAPS O U
O C  R FUNKTION
RUBRIK MASKE O L U U
I A L N F ABSORBER
NEEFE PRACHTFINK C A E
E N   H NAPF
DEMISSION GELEGE U O
O N B R R ZYLINDER
LOGOS ERHALT N E T E M
C S R E T R E F
HAGEBUTTE ORFE ANRAINER
```

Seite 60

```
MONOKULTUR ESAU KOMPASS
U L A E E  R I M A
N E L L R O T T A H
DAHEIM KNICKEBEIN BESEN
L S K N I E Z E
ORBIT FESTE A N S E T
C A  D S R I I O
HAHNREI AMULETT E TATAR
E S A   I INDIZ R
M F SPARTERIE O A E
AUSREDE D I G V M N
L R R E  LAVA T M O
A I ERNESTO  R L O
ROASTBEEF A H O ALIEN
I C A F INFOMOBIL T T
N H R E M  E Z A
INTUITION ABFRAGE N
ALTE E B  A W
L E EGLI PHASE U O V
PATE M I E I B R O
H REIZKER LANZENREITER
A L U  K R  R
BEIWERK GERSTE PUMPHOSE
A U K R E
TITELBILD BOJAR FROTTEE
```

Seite 61

```
GLEDITSCHIE DAUS STARRE
E L I  A S C E L M  I
B E E  S K H E T M I
ARABER LEITE A W A GROG
L  A R I N L A N T
GERMANIN BASTION AULA
E E E D D  DUMAS A A
N U REPORTAGE O T  L
SZENARIO R U L N G
T G I V N R REBECCA
A A E E GOLIATH  N N
ROTISSERIE E R B RAPS
G P  I ERFAHRUNG P O
A N I P S R U B  O
S U EREMITAGE MODERATOR
TADEL L U U  N
E T YSAT LOGIK R
L A A C H R I S
G G GESICHT FESTBANKETT
O O A U E F R H
I N SIMS LETTER STANZEN
STOPP E F S W E D
M S EDELGAS UNRUHE T O R
U M L E C B T R
STADTGAS HEROLD AKROBAT
```

Seite 62

```
EARL MASSIV PFUND DERBY
I E E   O I E E E
S E BELVEDERE DONNERSTAG
V E D F  U G A N
O N UNZE AUSSAGE V B N
G  N T L A R L
E GEGENWART PLANSTELLE
LIRA A A R A  L
A K L C N R P
A U E DEFOE KODIAK I K O
SEAL  M E R S O P
G LUFT EINRAD SEKTGLAS
A  A L S G
N ANSPIEL STECKENPFERD
A A N U G A
STIL TROTZ N R
HEIA A  O K P L
A LANDEBAHN SALATTHEKE
LANDS U R T S L G U
B O E L SCHLUSS I E M
ANKLAGE G T A I E M
F A E A R U B FLUGZEUG
F S L R H B L
EIGENNAME LIBELLE CLERC
```

Seite 63

```
BARBECUE ANGABE FLANELL
E   E   S L   R A O E   I
R FOKUS B   E C   L   I
LURE  EDITORIN HELIKON
O   H R   N   I L   E
COLLIE SPIELGELD E SPAN
K K G   S   H E M U B
EILBRIEF MAST ESSIG L A
L O O U   J A K N
AAKE N RASTEN HAUSSTAND
P   S S E O T W
HAUSHALT M BOWIEMESSER
R E L W P I N   R E E
O O P IDYLL LIERCK G K
D B E R U U I   E
I I NETZ MAMMUT MAKLER
TREBER   O I M E D
E L O OKTAGON GIPS C
I S O I E E H Z
PAGODE KILOMETER KLASSE
E P A L N O U E C
NACHTBAR HERTZ TACHO H
D I O Z E R T H I
E L R E I E E E N
LATEINER TAKELER NUANCE
```

Seite 64

```
BIER SETUP STAAT ABHANG
E   E T A U C   K   N
SOMMER U SCHACHT TUPFER
I I O B T N O O H
EPOS PANNE AUSKOMMEN D
G H E R N O O H
TROTTE SUBTRAHEND BONZE
E E S W T R I
RIPPENFELL EISENSPAT T
E A L E R P
KOHL C ISKRA RAUMFLUG
I H P E U N O U
N LITAUERIN SERIE LEIM
E T F T E G M
TEAMCHEF DINER FLEGELEI
I E A O I A H G
KAHN U TE COLLIER BLAU
G PATIN G U T
TALENT E STAB APFELSAFT
A G R T L S C
TELLE W KREIS Z HOLZ
Z O W P E E A A A
ERLEDIGUNG SKAT CHAPLIN
I S N M T I H G
TEST N AUFSEHEN TROUBLE
```

Seite 65

```
KONDENSAT ORGEL MISCHEN
N A A U L N L
A S N I SATZ TEMPEL U
Z STERLING E U U
L K ANLIEGER USUS
I S SALSA R E A P E
S T L H C S L RADIUS
TIEGEL I EHRENLOGE L A
P E R I R T T E T
PUPPENSTUBE E T I BROT
O O T E INDIANER E
ESTRAGON I I R IDOL
S T F ALARM G E E
I A F F O ERNSTFALL
EDELMUT WIRRNIS A A
E I M A T SCOTT
METER ELEMENT I C H T
I B R E FAHRKARTE
SLALOM A LIGA O O M
C U L B N SPUK PINT
H K DECKEL ARNI N I R
E E T U O E PREISGABE
REISWEIN RING H C N T
F E O K O K O
SANDKASTEN DRINK SENDER
```

Seite 66

```
REPORTERIN KUGEL UNHOLD
A L I R E I
N P L ABSPIEL PUPILLE
DUDELSACK D B
G N IRRLICHT PLEITE
EINBAND O L I I S
B O MODEFARBE CRAIG
INKUBATOR E U R H U
E R O D LORD EINTRITT
TALG A A I T J
E S NETZMAGEN ACHAT
AUFTAKT G O S H E
N R A RIFF CHARMEUR
RASTHAUS T L H P
U U P ABENTEUER CREME
FLUR PFAU I T O I N
E M E ROSE ZEITARBEIT
REAUMUR E R A A I
H T O LETTE UNSTERN
TOUR KIEL R G
E G EULE AHNENTAFEL
ROMANIK U E A I
N R E RETORTE URKUNDE
A E I E T D S
REPARATUR TALAR GESTALT
```

Seite 67

```
AUTOATLAS RAMME BASSIST
H T A E O R
SPARER KENNKARTE R I
L R K K GREIS
MEERKATZE ELCH B H E
I P O I AUTOKRAT
SHARIF STRAMPLER H O
E E Y G F A E EBBE
L F KLIPP NAME C O I
A L W I O KIRCHNER
MOUSSE KEIMZELLE I E
T I E A EDITOR
ALLIANZ GENESUNG A
L I M N ADRESSAT
T C MEER DOLDE L A K T
E H E O R I L G A L
S T ROTDORN N PORTMONEE
E A G N I
T N OBSTTORTE M A K
ANPROBE A R I EIKLAR
U A N LESER R R A
C R S R L C PONTE A W
H S E O A K L R CODE
E E N H D E A N K E
NACHSORGE TRUNK MINERAL
```

Seite 68

```
MAO PUTTO FIGARO S FLUG
D A A A M T I E
BLATTNASE GARTENHAUS N
E L C S S T L L HABE
W HEFE SPREU B L R
E A T U O U A L
RENNFAHRER ABLESER G L
T W A E A U DRAGEE
E E T S TISCHREDEN S
ROSSTRAPPE I S R D
E O E G N E KAKAO
E N R K I SATTLER F
I INSTINKT A L S E
N P S I URLAUBERIN
Z I T A T A M E E S I P
E I NEUZUGANG TREMOLO
LITANEI S D H
K S RADE LANGHAAR
KONTO C A P U I
L HALLORE WISCHTUCH
ALTER G I B Z E
M E ATEM KACHEL PFERD
AGRONOM A O I E W
U K I R S E C L I
KERBE STECKER BEKUNDUNG
```

Seite 69

```
STANDGELD DIKTAT PESADE
C K O O I H U R N
H Z T H G R A D M D
UNIKAT ERDGAS ARIE U E
L D L N E C LEITER
E E LOTSE R HANF N L
N E T E O DUSCHE
W Z MARE RANGIERER E I
E A I L E E EOLEIN
REGENTONNE IDEALS E
B A D W L CISTER
U S E EMSE OCHSE H E E
N H N T T H E K N N
GRAMM SACHMET STIEFKIND
H S E E
KONTRAST K STRIPPE REIZ
O A T S O O U V
M R A KARPFEN T DAMNO
MAGAZIN A H I T O U
U F D L I S ZEUGHAUS
NOTA WESEN SONDE G
S T A ERREGUNG
KLAGE ASIAT D M E R I
E M E A N A E
ERRICHTUNG GALON NASSER
```

Seite 70

```
PLUMPSACK DIEB KARRIERE
F O T A O E L E
LOHN R P L A I IMKER
A I A ESSLUST MIST R O
NEST N A M M WOOL
Z OLDTIMER AUGENDECKEL
UFER B B N G I B
N U BUCKINGHAM R
GURT R A O L SKALA
REGELFALL BOKERT T
O D L Y A E
R SCHWAN INDIGO ANGELN
IRIS O C E N B X
E R HEKTIK SENSATION
NEON U O U E S
N EISEN TOURNEE IRRTUM
ANGO A I C T E
L NUSSBAUM ESSKASTANIE
EGEL C L P E Z N
E H URVATER REAL E
H U R T B I E T R
E CLAUDIUS ANSCHAFFUNG
BUCH M O A G U O N I
E T M R G E R T T C
ROSEWEIN GEDANKE BOLERO
```

Seite 71

```
LIBUSSA SAMSTAG WAHRUNG
E O C D O E R R
I N H E R M ENAK KNEIPE
SPINNEREI P O D C
T U U T I POLKA LASSO
UNTERLAGE R E O A
N R N STERNKUNDE TURM
GATTE S H Y Y R
C BIOGAS AUFSTIEG
VORSTEHER B U A E
E I O I E SERVAL GRAM
RANFT V O R O L A
T E I LASUR LIGATUR O
INTERESSE O L D I O
K Y TIERHEIM AKZENT
O P PAPAT I H A
E G ECKBALL E G
KASCH S SPEZI A T A
U E C I N THOR ISOBAR
HELLSEHEN B B T E N
B E C E S LASKA G E
LEITKEGEL D T K R A L
U I A ANAKONDA STANZE
M E R I R C N N
EMAILLEUR F KODE OBDACH
```

Seite 72

```
PRAKTIKUM DRAKE ENERGIE
A O O E O O R
L R A SCHWARZ OBSTMUS
MEERSALAT N I T
L E I I HAUER CHROTTA
I K T Z R T R N U
LUFTREIFEN S TAFELWAGEN
I O O E P L E
EIERTANZ HINNAHME REDEN
R U E O
SPINAT Z RIBBECK ENDUNG
T M U R E E U E
I P UHRGLAS LIST G R L
CLOWN T E R I
H R GESCHICK STECHKANNE
L T T T E B
I BERGWIESE LUFTFAHRT
NAGEL O D E Z T
G I MAMI QUINN E GAUR
R S U U T
S L SCHWIMMEN PROFESSOR
T A H E S R E T A
I N U GIRO TIROLER U T
L D H E E B S R E
BRENNEREI PROBE BERATER
```

Seite 73

```
BARSCHECK LAGER SCHLIPS
E U U W E S C T
F C N A D PECH NANTE
UNKE TEERPAPPE A I
N X T L FIKTION
DIAMANT ANNA U F Z
E E E T NEBENSACHE
POSE ERBANLAGE A E U
H R I B N R U EHRUNG
LATERNE SAGE N W T
E S S U C SPEISESAAL
GALA ARCHITEKT R S A
M R E KUMT Z G
AROMA BAUWEISE E E
N K TRETROLLER
EXKURS WODKA A X H T I
E E E R O G P N L S
ABLEHNUNG A LEHRANSTALT
U O I I E R O G
F F RUHEPAUSE R E K
PREIS N O O SIEGERIN
R L T GRAND N L R O
E L U A T HERDE I S T
I A H R O T Z T E
SCHALUNG KARTEI KAPELAN
```

Seite 74

```
BLASMUSIK TOUCH BETRIEB
I O T A T E A A L
E L R L T R R PISTE
REFORMATOR OPERETTE
D U M I R ZEBUS
O H MONTAGE KHAKI O T
SOCKE U T R E H I
E PORE ANHIEB R R R F
O O L R A EDIKT
SCHAL URZEIT PACKER N S
E S T T R U S T
EXPANSION WAHRSAGER E R
G D N K E E HALMA
ANWOHNERIN TRUB D U N
N S A E STEAK
GELEITBOOT REDDING
C A L E K K D F
W L S DEFIZIT T O A L
ALTAR T E H E A BEMME
R I I E E INGER U
SEKRETION AREAL ANGER
C O E E H G U
HORTUNG GRUNDLAGE LAMPE
A N R T B I M
URTRIEB OFFERTE ZESSION
```

Seite 75

```
F I S C H M E S S E R   M A M A   E T A P P E
R I   A P   O I   B         E N
E L   K R   M L   F R E T T         T T
I R O N I E   E D L E   O A   A     I E
L   L B N   R R   N O R M   R I T T E R
A U S K L A N G   K O O G   U O       U O
N N     E E A   A U S W A N D E R E R
D I E B I N   R U M B A   A     D S O
      B   I I   Z   M I S E   P O S T
K N   R E I B U N G   A B   B     E E A
L A E A   L E H R A U S B I L D E R
E I S E N B A R T   A L     L   O E M
O H   T T   N U   F E L D   T A R I
P O   E N T S E T Z E N   A   E I S
A R C   C     G U R K E N S A L A T
T A N R E K   H A R M
R A A   A   B I E N N A L E   B
A B E R   R E I S E R E I     R   R
  X R N   J   S C H R I T T   A C
G E T O S E   D A M E   A E I N K
  E E N R   L U M B   G   G E S T U S
F I N C H   G A B E L   O A K W T
A D E I A   U N W E T T E R   O U
N E L R L     L T I     R B
G E D U D E L   U T O P I E   A   T S E T S E
```

Seite 76

```
S T R O H S A C K   S C H I C H T   R E I H E
C   P   R O     O A           X
H E R O   I   O B   M O N O T O N I E
L     G Z   S   E L U A T   E A     P
U S E E   B B       N   N E U N T E L
N A C H F R A G E   H O C H R A D S   A
U E   R E   C O A         R
S C H R O T T   R I C H T E N   C P
    I E E T       H O F D A M E
E I N N A H M E   A   O D E M   U E
R   L L I V     A   B E I S E I N
D E L L E   S P A G A T   E N D E   C F
M     S E R U   A M P H O R A
E I N S I E D L E R   A L P E   M E E L
T T N     I I I L   T R O M M E L
A G I O K   E S S E N   B A S E   E
L R L L   E R     R E B L A U S
L E H N   A B G A S   E T A G E   U N
    I V P     C   P R O T T A
M A T E T E E   S U B J E K T   E L C
I R   T A H   T H E R M I K
M I L U   G R I S O N   L A I E S     B
I N   N   C D E R K A     A
N I L G A N S   K O L L I E R   S T E I G E R
```

Seite 77

```
S C H A F W O L L E   F R A T Z E   M A N N A
A O   W A   O V R   D V
N H   H E N   R E O E N
D I N A R   N   D E L M A R E   S T O L L E N
T N A     P A S     R
O   O   B E D A C H T   I   R A D K A P P E
R E I M B   R A   O I   U U
T A A T   T R   K N A L L   S P U R T
E N D L A U F   I N D E R   L     L O
I   I   E   W A S T E R   T A G E N
T A G E W E R K   A C   E     A
R   H   E   R O H R S T O C K   R A
R   M E L O D I E     A   T D N
R   R C N     S P U R   A   W I N D
A D R E M A   W A T T   O I R   N
R E T I     I R R E   F E T T L E B E
I V   F L U C H T   G L I   R
U O K   K U   H O M O   K R O L O W
M E L O N E   E X I L   U H E   I
  T U R   A G M A   N I L P F E R D
S T E I N S E T Z E R   P     Y Y E
A N E A     P F L A S T E R E R
L A U F   B A L G     I I H U
A U I E   A E O N
T O A S T E R   L A P P E N   D I E N S T A G
```

Seite 78

```
S E E H A F E N   O P O S S U M   S I E G E L
U I P   U I   I I O   N A O   O
P N   P T A H   E R O   O F S H
P E L   R O H R F E D E R   G O E T H E
L A M B A D A   O   N R     M
I   U   B N I K E   F O R S T H A U S
K O L O S S   U D     A P H
A A   P O S T A D R E S S E   E S E L E I
O R C A   R S     B S D     R
H   I A   L E D E   U S T I N O V   R
K A T A S T E R   E R N T I E     E
E       D E M O N T A G E   E N T E R N
P F R I E M   M   M     R I
A M     I   G R A S H A L M   O R P H E U S
M   K A P T U R     R   R R T
P R L   E B E N I S T   A M M E   B E
S T E I L E   G   A E E   L O R N
B     I S E R   B   N E S T B A U   B N
H A S A R D   O O A     I D
O B   F E L D B E T T   T A K E L U N G
S K I S P U R   L L E R     E
T E   E   F A C E   Z I N K   A P F E L
E R E N   M I L E   G E     A B E
S   C T L I T   D R   I
S C H E R B E   D E M E N T I   E T I K E T T
```

Seite 79

```
M E L K E I M E R   S A T T E   F A V O R I T
O   N   R O A Y   U A O     A O
N   T   B I K T   G   G B R
E L F T E L   E R D R E I C H   D E S S E R T
G   A   A L   L U   I E
A N P F I F F   U   O K T O G O N   L L
S E   E C   N   V   K   L A U T E
S A A L   B U C H E   O     E I T     T
I   E   N   R A S T P L A T Z     V
N I E T   K R A U T E R   E   O O     A T
  R W G   N   A S S E R V A T   H
B   U N T E R T E I L   A   T T
E   C H L   O P T I M U M   L A K E
T R A K T O R I S T   N   T D F
R   R     G A B E   I M K E R E I
E H E R I N G   I N K A   R U R A
F     O E   E N   M A G M A   D E C K
F A U S T   B E L L   B   T   W
    A E   L   A H O I   M A D O N N A
P F A R R E R   K A N U   O O   L L
I   E   L L   M A H N B R I E F     D
M E I L E   A X I O M   A D S   E
E   I N   N   U   R U T E   T E I C H
N N N   N G     E   N E Y
T R A G R I E M E N   M I M E   T O N B I L D
```

Seite 80

```
S P U R W E I T E   E   M O O S   P A R A D E
  A   T I R O T   B U T
E M M E R   A   N A B E L   A   S G I
N   E L S A   L O C H   G E L E N K
E H R E N G A S T   U   L     N E
S   T   U U G   A B E N D Z T     T
E N T W E R F E R   N   A E     E E T
  S L   Z U G K R A F T   F R E U D E
E G A R T     I     D O O G
S       S E   F O R D E R U N G   C L E R K
T R E T L A G E R   E R M   E
A     E E G O   W A L D   A B B E
F A K I R   R G E B E E   I F
I   I   A L L E E   G R I Z Z L Y   F
T E L E F O N A T   M E     E E E
T   L   T I   N   M A U R E R
E I S B E I N   E I E R S T I C H   N
  A A   I O M     T R A C K
M U S C H I K   T C N R B   I   E
U   H I   R H N O E K   U
S   E I A B L A G E   E N D E R G E B N I S
T L   N J   N     I R C
O K R A   I N S E R E N T   N A C H T I S C H
P R T K   A   A H E E
F E L D S A L A T   B L U M E   T O P S T A R
```

Seite 81

```
F A H R W E R K   A P P E L L   B A R O N E T
O   A     U E     E I
R I N D E   K U B A N E R I N   C H I R U R G
E E   C C   K   N E
S T Y L I S T   G H   B L U E S   B E T E R
T     T E E   I N U O A
    V E R E H R E R I N   G   R O T B L A U
A A O M   K   I     E G
B A S S   T   H A F T R E I F E N   D O S E
I   E W   N E L E A     U
T M   Z E U G E   R   L   M O R I T A T
U A   I U V   L D E N E
R O T T O N   T U T U   O   W I R T   E K E L
  R   R     E S C H E     E
A T O M M A S S E   R H B   A B S T I E G
    S   C E K E     T O
S I E K E   H A S E N M A U L   S C H W E I N
T     R M     T E O
A B B I T T E   P H A N T A S I E   M O D U S
L N L     B   E C P E
A M B O   A Z U R   L   H   P I N G U I N
K     L   E I E W R T   L A
T R A I L E R   S I G N O R I N A   M E R E T
I     N E T E H F   N U
T A G E R E I S E   R L T   Z W I N G E R
```

Seite 82

```
B A R D A M E   K A S S I E R E R   N E U E S
E E I O     P A O   C
R   L   C N   L E I E R M A N N     O
G A U P E   H O T E L   Z I P     O
P H   E     A   O L L E   A N M U T
A K T I E N K U R S   N O     R
R   N L   E I S E N B A H N E R     R
T A L I S M A N   S T   E I
E   U F   A A   P H O N   L E N N E
  M U T T E R M A L   P R R     L
F     E     T R E I B E R E I     L
A N G E L   R O B E     I   L E
C   I     B E L I E B E N
K     T E E T A S S E   R   R   G
E     E C E   S P R A Y E R   K A T E
L I B E R   H O R N A   R C   I N
Z     A S   T A N K   D   H A K E L E I
U L M E   M E I S E   A E E M   C
G     N   B I L D B A N D   E P I K
      H A M S T E R   K   N I A
H   I   A   S I E B   P O R T E N
O K T O P O D E   D U T T   E T   I I
N E P   G   N E     T H E R M E   V A
I I I   E I   E I   E R N A
G E N R E B I L D   R A N G E R   A C H T E L
```

Seite 83

```
Z A R I N   B E A G L E   V E R T E I L U N G
I   R A N   L U   B A
M U   U N   L A M E L L E   E I S K R E M
M I S S I O N   E   K G   E   E B
E       G L U T   A R M B A N D U H R
R O C K   B A K E   R T E   I I
M   O K S   M I L A N   R E C H N E N
A B T R I F T   P S   G A A U
N S S   E I L I C   A U S S C H L U S S
N U T E   M I N E   H W E L L
  T A     L E S E R A T T E   N O T A T
B A T T E R I E     E R A
A A K   B   H E R D   F E S T M A H L
R A B A T T E   I E     E E R E
K L L   C H L O R O P H Y L L   A B R U F
A L I B I   L D   A O     N O
U E E A U   A L A T   B A U S T E I N
F L O R I S T I N E   T   S P     I
G       G I R O K O N T O   O L D I E
A N T E N N E     H L   C
B   C   F A S Z I K E L   S T H E N O
W A H L L O K A L     E O   O R
A   U E   A U S F A L L   E I N W A N D
H   S R K   C C I P
L E I T L I N I E   Z E C H E   K A R O S S E
```

Seite 84

```
A R I S T O K R A T   S C H A L E   M A U E R
K C A R   C A   N A K E
K U R H E I M E   H U   G A A F
L A A   A R C O   N I S C H E   N I S S E
A W A R E   S O   I F     U R
M L L   U   L A U T   R A U C H M A S K E
A Q U A V I T I   T   A E     N
T C C   R A N D   E T U V E   U H L A N D
I S C H A R A   E   O O S     U
O B   B   G R I L L R O S T   S A L M
N E I T H   K   A T A
I   N A S S R A S U R   A D R E S S E
G E B I L D E C   C A   E X S
A   F I H   N E T Z B A L L   C H I P
R E I S E   P L T     H A
A     E D I T I O N   K L E T T E R E R
T R A M P E R   F I I   R Q T
I     F A R N   G E L E E   U K K O
V O R G A B E     A   O
O     G   N I K O L A U S   A B S O R B E R
L O R K E   T A   M P A   I
L I   I E S   E   E M A I L F A R B E
Z I E L   T R A U M B I L D   R   T G
U P O A   S A     A O E
G R E I S I N   R A T E   L E C K E R M A U L
```

Seite 85

```
H O L Z K O H L E   E R E M I T   K A K T U S
E E U A   N L   A U T I C
C T L M   D E I L   T H
K A T A M A R A N   S E N K B L E I   M I N I
    I D A   P R I L
W E N F A L L   M   U S B E K I N   K A M E L
H E I   E R M   W     E E
I   R   G R A N A T E   E S A U   P R R
S P I N N E     R E C
K   E   R E S E R V A T   O F F E N S I V E
Y U I T     I E   A S   I I
    P A R A G R A P H   B E F I N D E N
F E R K E L   U D A   R O A S   I
O   A U   P U D U   R A D I O   N M I
R   B M   R I K   H C
U   E   B A H N R E I S E   A N S T R I C H
M A H L U A   E   N R R T
    E M   L E S E   R U S T I C O S     S
K O R A N   L L   L C B
O O   P R E S S L I N G   I R R L E H R E
M I S P E L   O B U O   O H
A   I   U D E L   O V E R A L L   W O L L E
M A N N   M I G A A   O E
B T P S E M     A O E
A D R E S S A N T   N O T I Z   D R U C K E R
```

Seite 86

```
F E S T Z U G   E R D M I E T E   K U P F E R
I A R     M A N   C R E A
L F   F E N G   H N I I
M E T Z G E R   R E K T O R A T   F A N G E N
P U   E S I N     H
L O E W E   R   I N S E R A T   A U S W E I S
A A E   O C I     T I K
K   C A S T I N G   K R A M   B R T U
A S C H     O E O N
T   S A C H L A G E   W A N D S C H R A N K
    A   B   M C C H
T   B E S C H L U S S   M E T H U S A L E M
R E U E   S   O   A C E O
U   G   A R Z T   I R O N S   U H T O
M A D E   T E I I   W S O
  R   B A U S T E L L E   T O N M E I S T E R
F E N   M E A A N U B
F   U M G A R N U N G   A B I T U R I E N T
H A H N   N G   R A A I I
L   S E I L   L E S E R I N   T R A K T A T
L O R I   A A E A   K U
S C H N A P S   F E U E R Z E U G   T I N T E
```

Seite 87

```
LANG  AUTOBUS  PROJEKTION
E EU AAP   O   U  A   O
BARTEL D L RECHNER  NAHT
E O A E D E K  O Y A
M  B  FLOR NOBODY BASAR
ABREDE        A  S  A  R
N    A  A SAMULETT ERSATZ
NISTKASTEN NX    P   T  T
   K  A   G TACHOMETER
E   ABDRIFT     R  N  L
      I   KRAFT ANREDE
STAFFAGE X E     R O  R
Z   L  I U RABBINAT   K
ENTHALTSAMER  ACS  S
I     I  S    H KOHINOOR
TIGER REVIEW N    G
  R   R GN ANSEGELN   W
PLAKETTE T ST E  A
   D   E LR SE REALLOHN
FLIEGE NIOBE  I  B    D
R  E  B   B  REGISTER MS
OR DREHBUCH   T Z  EO  O
T U  E AN ARAGO ELSTER
T  N  T L Z H    F R Z
EIGENTUM EINKAUF ABTEIL
```

Seite 88

```
ARMGELENK BLAMAGE HABEN
N    E  A U E   L O L U
RENOVIERUNG BROILER UC
E    S K R K    I R T K
CAMPANULA ANEMONE O E E
H O  E  S D  A      REGAL
TEIL RADIS A LAUS   E
L  Y  S E L   T BOLUS
E  SAAT REGUNG ZONE  E
  M STANZEN NAPF T  B
F  I  T U A G E  ERNTE
RAKETE F USTAW CLIC  B
  I  I  G E A A  KIPPE
SENNIN ASKET YOUNG  EN
U  I M  B M    G T
REST EDEN ANSPORN OI G
  T  T    N O  E TATAR
BESITZ MANDEL BUBE   U
   O      B  E A   R  N
SCHLUSSWORT ARTERIE L D
C   C  R    E      PAAR
HAUS HELIKON NERV    SI
O    A  N  T       S  S
FACTORING VOGEL DICKENS
```

Seite 89

```
NUDIST AKROBAT TARANTEL
E  E  U  W  R I  G U O H
RASUR BIRNE WABE  I R H
O    O   ZZ  I R  I  U
LEINWEBER ZAHN WUST  S
I      E W E E   ANGST
NABE EFFILE ORAL U  B
A    T S I     TIME L U
ERLEBEN E GELD  O   E
A  A  R E    R MONSIEUR
KANTON GIRANDOLA T  R
D   I  A S  S U SCHERE
GARANTIN LISTE  L   E
L A  I    A R HALSBAND
E N OVID STOMA O  U N
I  S     P R I U L Q G
S  OKTAGON STADIUM OG
   U  T  B E A  R  R
MELTAU L AUSGABE TUTAND
O   U  T    E  A   R  I
N   S RACKETT S ABHOLER
OCKER O O R T    T  I
K O E T  M I PIETA ZEUG
E R D T M  T O E I A
LOBREDE SEKTION KURGAST
```

Seite 90

```
ABSTEIGE DRONTE SENKUNG
L  X  A  E O R E A   N
T   I  R  P O F H SONNE
STUNTMAN PFIRSICH A  I
T   G     N  INTIMUS
ABFRAGE PUNCH D L  O
D U   N  U E FESTTAG
TAPETE KAROSSERIE E E
O   O  U T   N L  S
A S MOLOCH BENIMM  A T
U C A  U  N L INTRADA
SCHUTT TICKET S S SORL
G I  L A E A S R S T
U P POLITUR ERNIE I E E
SPAN P     N   RENTNER
SEEBRISE TONBODEN  A
A  E    R  U TEEGLAS
PFAHL REBECCA N E A  A
A  L P N H K    G  G U
ANLIEGER STREBEN  L A E
R  L  N  I   L DRESSUR
LEHNE TOLLE A H O  W K
A E   I  A I E RISPE O
U M  N G D I E   R H
FEDERNELKE GETTER LOKAL
```

Seite 91

```
SCHIMPF WEINBRAND STEPP
O  R  R  A A T S A
HEIZSONNE KEHRE RU S Z
L  F  D  N    S AZERI F
ELAN EIGELB H ETTER  F
I N S  R O R E TEEEI
PARTISAN WIPFEL  L  S
A  L  G  A A L BREHM
MATT DINOSAURUS EL U
E  A  D E SARKASMUS
WENDE STORE N  U
I  G A   T SPIELBEIN
DOKTOR TORLINIE RILE
E U Z Z  E G A  C I F
R M EXPERTE REN H T F
B M N  I N I SMIDT E E
A E T  T AKONIT E
RETORTE  E  E A Z S
T   I LIBELLE SPALTPILZ
   S F C H   B A R E
ARMATUR PHASE L K K K N
B D I  A N A U E U A
ZYLINDER RELATION LASER
U  E  D  P M C F E
GESUMME WESTE H TERRAIN
```

Seite 92

```
OKZIDENT BEUGER JACKPOT
O E I  R  U  R O  E E
N N K  U X MERLE VORRAT
AUSGEDINGE  E  S  A
U   U  K RASTHAUS PALME
PIRAT    C S  N  R
R  R F KOHLMEISE MEHL
ATTRAKTION O   E E A
H  G  R A LUPE ROWLING
LUNTE  M L L X I D
H   RALLYE SPANN USUS
ALTES U E  O E N  O
N  L B ROLLER TRIGGER
SONNABEND  T T T  G
  W N TAXAMETER IMME
FEHDE STOA F U E  E
A O  H B F REZITATOR
N T KITA ELFE  N E
A E A  T R REBE ENTREE
TALOS WEIN E E K  I
I L P   ARNI INJEKTION
S E ECKE  A W  A B
M R R  T FAHLHEIT FLORA
U I E U  U R  A N
SPEZIALIST MASKE HEROLD
```

Seite 93

```
LEGION FLATOW V KRACHEN
I  M  M E O L M O A
ELEFANT HAFERBREI O R M
G  M  N K D PANCAKE
ENDKAMPF TEST E  P G
W   I  A R EINLASS
ADRESSAT MANGOLD E L T
G  K F A  A L I L A
E  A FILIALE D A G E H
NUDEL E  N R E KREISEL
A  A NARDE    H
AZZURRO ARENA  NOVELLE
S  V  R D N U  O L
BERUF DEMISSION AGRONOM
E L N  P  F   G
SHIATSU A R EDLER AFRIK
T   N U E L A I N O
   LIEGESTUHL T ERGEHEN
E O I  R  E  S M T
DARG N EIDGENOSSE  P I
E O F T E B C L A  N
L L BLATT G O H FESTUNG
G A  U O E G W E H  E
A  D S R N E U L N
STYLISTIN DINER DIDEROT
```

Seite 94

```
KLECKS WUSSOW KRUG RIND
A L R  P E O U O O R
SEA TUBA ZINNKRAUT  A
E M W  R C T V E  H
MEA W STICH IDEEN T
AN L E E E N  OBER O
TITELFIGUR DIMENSION L
T   G  O    N  L
ESSENKEHRER BETRAGEN
  C A R O   O EBBE
A H SU BOSS SCOTT U
PUHN B  T L R  M
HOLDING ESSECKE A SINAI
O R E   R S E  N
R A E  R BROCKHAUS E
INTEGRATION E L L  A
S  R R N LESEN L A
M K I Z G T A P URADEL
U L L T E A  P  P
STALL HANDTASCHE DOGGER
  M E  K A R  B I
AXOLOTL BERYLL BELEBUNG
L T R F E A  L O  R N A
G T F E T F O O  E I E
EIERFARBE TESTAT RASTER
```

Seite 95

```
DESIGNER KATZE ABSCHLAG
A T L  O    L T U A
L E UNORDNUNG  O A S B
B M O  R  PENTHOUSE
EXPONAT BEZUG O U  L
E   I K Y M  SUDOKU
MULCH TUNTE REEDE
A A  O O L  ATABEG
TIGERIN ARKUS OLIV  O
H A  I  A  O E B I
I S FICTION MUND RASTEN
L T    A I  D A  N
DUSCHE RASPEL BERG  I
E P E A  E C  ETALON
I  RUINE E HANG   D W
K E Z K S  R SPENDE
A L BUDE IRRGLAUBE P L
L  L  T R R N E THOT
INSTANTTEE BOARD E
W E T U  T   E LORIOT
E H T ROSS HEBEL E  U
R  E   M T F R F Z Z
KERBE URKUNDE BERATERIN
H  N  N  N I N  P
SANDDORN KONDENSAT TIER
```

Seite 96

```
FILMKRITIK SKALE METAXA
A  R  U  A I H T
C  E  S R R K EMSE
KOPFTUCH I CATCHER R M
E E A N  B H  O ANIS
LEIER ASIEN A  R  E
E  E  STIEFELETTE
ZEBRA ANBRUCH M  U N
WAK B G  K ABSTAND
I N TIERREICH E A  E
S G E O E ISRAELI
TAND LETTER R N L  A
I I    SAMT ABHANG
AUSDAUER MARC H S U A
R  G O T H SORTE S M
COUSIN HOSE F C  L I
U  E H M ETTY STIEGE
SZENERIE DILL A A S
I  I U  DIRNDLKLEID
ARBEIT TIEFE  E T E
U  T T K NOTA SPUK A
ZU I S  FERTIGGERICHT
R  O E F Z E  E U
GEMENGELAGE E REISENDER
```

Seite 97

```
BUTTERDOSE MELKER DATIV
L U E  A A E O   O
O  P N  N T HEILMITTEL
CHEFIN PILOT R L  L
K  R C H G  OMELETT
ARIE OBHUT IDEAL  R
D  D L A L  VORREDE
EINZEL VARUS DITO  E F
E  O  D R F  F
MISSTRAUEN BODY ROHR E
A  A  O  L A ADER
KANTE AKZENT BLAU  I
R O M L E  MEINUNG
OFENROHR L LIFT  S E
N G E I   A BEAMTIN
EIFERER SCHACHTEL A R
B S A D A I KOHLE
MAKULATUR WEBER Z
A N L  I   ZUMMARA
  I G LIAS AHNIN  A
F  V P  M R
IGEL ANGRIFF PFADFINDER
S  T U E  O R V U I
HALTERUNG LIST ABONNENT
```

Seite 98

```
BUNTPAPIER ZASPEL LEBEN
E  I E K A A L E
SPIEL FUNKER I U U E B
C F L  PUSTEBLUME
H WARENHAUS E E N
A U R M K KARRE HUHN
TANTE ATZE I A B
T  R R  PELZ ANFRAGE
U  POLONAISE I C A R
N C  N T FACHSCHULE
GROTH LORD A T A
S I E RODENA INBUS
W KEIMLING T L A U
E R I W HASE BASSIST
DERIVAT REDE I I T
G E I  R MIST MARON
ERIC AGATA B P P
H E G SALZ ABLESER
ABSEITS BROT U V E
U P  R MAMI RHEMA
FUGE BRENNEN  E E
T E  O E TATENDRANG
RECHNUNG M T O N  L
A  G I K N O E
GEWINNERIN ONOSMA ANKER
```

```
SONDERFALL  WELK  LESSING
C    I   L       E   E   E
H    STRAMPLER   I  S K   W
W    T   N   F T ENTENEI
EMSIGKEIT SAURIER G   S
S    C   U   L   K B LOGOS
T    HAARNADEL   E R A   H
E    O   L   BREITSEITE
RENNEN BETON E   E   E
     O   O A F   FLORIST
HARZ VESTE GRAMM
E    A   T E L   KERAMIK
DOPPEL ZIVIL LABE U O
O    I   E   K U SOLL
NICHTSTUER DUIT SOLO L
     B U I C   NASE
KLOTZ ABRAUM PECH   E G
     A R N A   ENERGIE
AUFFAHRT D SACK   P
U    E   E   O BEITRAG
SCHLUSS SARABANDE G   A
G    W T S R Z F RATER
UNTERLAGE LEITE E A E A
C    I N N A R H M N N
KORNETT ZUGLUFT LIMONIT
```

```
KAUFHAUS ERRATUM KAFTAN
I   E C H L E R O A   O
N   R I O C I O ANRAINER
EINRAD WAHRSAGER D   M
M   E   U E     O GALA
AUSSAGE SCHRIPPE N E L
T   U P E A IDEALIST
HOLM RAVIOLI T D B O
E   A N Z I   AUTOBAHN
KLINGEL INCOTERM E E
    D M U P N N EPOS
PUMA ATOMIST T S O R O
I   R N I I TARIEREN
LIPIZZA ANAKONDA   D
L   N N O   MASCHINE
EIGENWILLE SALEM O A R
    E M S M FALZ
ALARM LEVADE E I M E U
U   H L   H B TRENNUNG
SALATKOPF URGENZ R
S   P I E   K REEP
TRASSE ERKUNDUNG L O
I   O L N A R OBERTEIL
E   D E I   M E D I O L
GENERALES STRAFE D RAGE
```

```
EINTRITT SETTER BEAMTER
I   E   T E   T E   S I E
GRAVIS FEUEREIFER T P H
E   Z   B B   T R P E
N A KRUSTE GESTUS O
B N E C   U U PELIKAN
EXPORT HEIRAT T I O E D
D R   R O E O N G N O
A O VEHIKEL LOREN I D R
R B O T L L   EINTOPF
FLEURIST WIRRWARR K
    S E   I P EINFALL
SADAT ZUFAHRT H I A U
E   E E   N Z R   C C X
PUMPHOSE TELEFON H H U
I   E S O   D RATHAUS
ECKER ICING R I A   R
    O I A T PASSAGE
SHOPPING ODYSSEUS T K I
C   O E N T   R T N
HAARSIEB IGORLIED A E S
E   A   A R E A REFERAT
IRRTUM LADE L S A T E
D   N G I L O M A   I
ENTSETZEN STIRN AUTORIN
```

```
NEBENSATZ REIM KOLUMBUS
E   E U U O A E   A P
ECKBALL SCHULTER D D O
S   C A E E BRASSEUR
EIGENHEIT TAKT O T H T
E   E Z A TANN E O HA
ZAHNARZT AGAVE O I S A
E   E   V ALTENTEIL
AZTEKIN PILOTIN A R L
M   Z U I C S BALANCE
S E MOUSSAKA FASE B
E   Y I D N EROS
LIBUSSA STROM SIEGER C C
U   S U T A H
DACHDECKER OBERHITZE L O
R H I O N O O T I S
A   R TOCHTER POSE N O S
H K E A D H GLAS
TRETKURBEL GENERATOR
G L T I L L   R IRIS
L T I CIVETTE BLUE F C
A E O H S O I FLOH
SPRUNGTURM GEPRAHLE A B
E   E E G L   B
BERGMANN FIGARO DEKURIE
```

111

Anna Lukas
**Gitter-Puzzle-Kreuzworträtsel
mit Bildern**

978-3-95497-840-3
112 Seiten, 21x28 cm

Gitter-Puzzle -Rätsel:
aber mit Bildern an Stelle von Worten

Anna Lukas
**Kreuzworträtsel mit Bildern -
Schau dich schlau**

978-3-95497-631-7
48 Seiten, 18x26 cm

Beliebte Rätseltypen, alle bebildert:
Schwedenrätsel, Wabenrätsel, Kreuz-
worträtsel, Rebus, Schlüsselrätsel,
Selbstbauer

Made in the USA
Las Vegas, NV
06 March 2022